Do You Own Your Life?

你擁有你的夢想生活嗎？

在生命的每一天，

扣掉睡覺、社交、工作及必須做的事後，

大部分人甚至沒有一兩個小時能做他們真正想做的事，

況且還需要有多餘的錢才能去做。

你在期盼什麼的到來？

每一天鬧鐘將你吵醒。

每一天將孩子寄放在安親班。

每一天又要去為別人工作。

每一天又要擔心員工離職。

每一天都無足夠時間陪伴家人。

每一年都無法抽空渡假。

每一天生活在恐懼的未知。

你希望期盼什麼的未來？

醒來時感受到生命的喜悅。
陪伴著孩子一同成長。
為自己的未來而工作。
有時間陪伴家人共享天倫。
有錢有閒去渡假。
對未來生活充滿希望。

擁有自己夢想生活

你必須具備 3 項條件：

①金錢 ②時間 ③健康

如果我能讓你
擁有你的「夢想生活」
你有興趣瞭解嗎？

我們已經發現一個方法，

藉由建立一個 "生活風格團隊"

讓你擁有你的夢想生活；

我們也將提供你一套系統，

非常簡單、每個人都能做的到，

不需要賣任何東西給陌生人，

更棒的是：它並不需要花你太多時間。

請馬上閱讀餐巾紙講座前四章，

搭上 "擁有你的夢想生活" 特快車。

公益傳家——公益直銷可行性研究的實踐

1995 年美國國際教育協會（IIE），甄選兩岸三地藝術工作者到美國參加為期一個月的參訪和交流。就在舊金山，我聽到一位律師分享說：在她家，每年的【家庭會議】會和孩子一起討論今年要把錢捐給誰。我當時就想到：如果台灣的家庭也能有這樣讓孩子參與的家庭會議，讓孩子認識更多好的人和好的事，也讓孩子參與行善，也是最好的家庭教育！俗話說：萬貫家財不如一技在身。我們更相信：一技在身不如惜福感恩。於是開啟了【公益傳家】的成長之路。把行善，當作我們當行的路——把好的事做對，對的事做好。

公益創意產業

我想，不要增加一般家庭的捐款負擔，或和非營利組織搶資源。我決定用消費捐款——你本來就要消費，我賺錢就幫你捐款。1997 年我將第一筆賺得的保險佣金，捐出來辦公益演出和公益展。但我非專業保險經紀人，我也沒有辦法花太多時間開發客戶，保險捐款工作面臨瓶頸而暫停。

2004 年成長畢業生家長推薦一家直銷公司給我，我抱著去捧場的心情，就是消費吧！但是他很積極推薦，告訴我可以賺很多錢，我也明白告訴他，我不需要錢，投入非營利組織的工作，就是不以賺錢為目的，我只幫基金會工作。他回答說：你可以賺錢捐給基金會啊！這句話讓我想到 1995 年的心願——【公益傳家】。

於是我請教當時基金會的董事蔡欽源律師，我問他：如果我想賺錢給基金會，透過郵購、網路、店面或直銷，哪個方式最合適。他的建議是直銷，也就是書上說的網絡行銷。我當時很意外，但是，他說：過去直銷被一些心術不正的人做壞了，目前政府有管理，相關知識也比較普及，比較不會偏差。而且，我們這群人做非營利工作太久，不是生意人思維，開店可能不容易經營，成本也高。郵購和網路購物的法律風險較高，建議我就是當一個單純的推薦者，也就是轉向低成本、低風險的直銷產品。只要找我們的支持者——換個品牌，做公益。

我想，把好的產品介紹給家長朋友，像是：哪裡的牛肉麵好吃？哪個店在周年慶？不就是平常我們常常做的嗎？於是我開始推【公益直銷】的計畫。原本我想找 99 隻小羊，但第一年只號召了 34 個【公益消費家庭】，成為我的下線小羊；我必須承認，當時的小羊，比我想像的難找，遇到很多否定直銷的人。但是，我想不能因為別人不了解就放棄，可能我這個計畫要聰明的人才看得懂，而且，做好事不著急，我決定先做出一個模式，讓大家更明白我的想法。於是開始公益消費大循環。

同年，在陳得發教授的指導下，以【公益直銷可行性研究】的論文入選中山大學直銷學術研討會，並且到上海發表。研究結果顯示，消費者對公益直銷，主要考慮的 1. 商品適用 2. 財務透明 3. 推薦人的服務。這是很容易達成的，尤其財務透明這部分，剛好直銷公司給的獎金，網路上可以查詢，我想收入面是非常透明。捐款部份，透過公益演出，由售票系統結算票款，全數捐贈，也是公開透明的。於是，開始累積公益消費的獎金收入來推動【公益傳家】工作。這個公益大循環，也擴大了參與的家庭和公益團體。

2006 年這樣小額持續的推薦獎金（公開透明的）也累積到公益演出經費了，剛好杯子劇團有演出，於是用加演場的較低的成本費用，請他們多演一場。並將票房所得（公開透明的）讓觀眾決定捐給哪個公益展的團體。雖然只是家家戶戶、點點滴滴的消費累積，但是，總共也辦了 4 場演出，有數千個家庭參與，推薦了 10 個公益團體。2010 年起，公益展由公益團體「自律聯盟」承辦，捐款對象的選擇也更加公正透明了。

我們的公益消費的收入微薄，我們能做的很有限，但我們相信：小種子只要有人持續關懷，就會成長，會成為大樹，會造福更多人。我不需要想太多，就是找個好的產品，加上選擇會支持公益的公司。只要當個消費者也是分享者。就像書上寫的，一個人介紹 3 個人，3 個人介紹 9 個人，讓這樣的好事傳出去，就會有善款活泉（能複製就能致富）。更期待的是：可以有更多非營利組織，懂得這樣簡單的方法，用正確的方式和心態，將好的東西跟好朋友分享，不用自己開公司，只要加入團隊，更重要的是，要鼓勵上線，排一條公益線（社會企業），鼓勵團隊特別關照公益基金（公益線），因為加入公益線的人，都是幫有需要的人累積善款，做更多好事。將來，累積足夠基金，也跟我一樣來辦公益演出，擴大參與。只要持續的做，就會讓更多人看見，讓更多的人在每次消費，都能提撥部分做公益，建立環環相扣的善循環。

期待 2020 年時，可以超過 100 場的公益演出和親子公益展。

成長文教基金　陳筠安敬邀

45 秒講座『擁有你的人生』

The 45 SECOND PRESENTATION

「The Own Your Life」Plan

作者：Don Failla【美國】　　譯者：唐飛達【台灣】

教學課程預約及大量訂購請洽：
劉小姐
886—938111312
Email:alexis1969@gmail.com
LINE:alexis1969
微信:alexis1969

Published By
Sound Concepts
782 S Auto Mall Dr. Ste. A
American Fork, UT 84003

關於本書

全世界現在已經有幾千萬人在經營網路行銷生意，而且每年還有上百萬人加入這個行業。對於新人而言，了解這個行業是最重要的！

當然，你可以花上 4 小時解釋給他聽，也可以將這本書 《45秒講座　擁有你的人生》借給他。

唐和南西·菲拉活躍在網路行銷領域超過45年了。
他們結婚47年,有兩個兒子和五個孫子女。

- 唐和南西已經建立了一套完整的網路行銷訓練工具。從 1981 年起,他們就開始網路行銷的訓練。
- 菲拉夫婦在世界各地旅遊並教授網路行銷這門生意的原則和技巧。

唐·菲拉

- 唐是暢銷書Basics《基礎》及 How to build a large successful Multi- level marketing organization 《如何建立一個大型成功的網路行銷組織》的作者。本書是 30 週年紀念版,新標題是The 45 second presentation that will change your life 《45秒講座 擁有你的人生》,也稱為 "餐巾紙講座" ,已翻譯超過25 國語言,全球銷售量超過 600 萬本。
- 唐教導遠距離的推薦與組織的建構。
- 唐教你如何啟動和複製網路行銷業務。在少於十分鐘內讓一個新人得到足夠的資訊並且開始推薦。
- 如何用一個充滿樂趣、快速和簡單的方法建立一個在家工作的生意。
- 協助人們如何在未來,擁有不間斷的持續性收入。他是生活風格系統的

訓練大師（Lifestyle Trainer），並建立了數十萬人的網路行銷組織。

- 公認為世上最有代表性的網路行銷組織專家之一。
- 唐是『網路非會議』郵輪教學（Networking Un-convention cruises），"鐵板燒聚會"及"餐巾紙講座"的創始人。
- 唐受邀到各國為不同團隊及公司做客製化培訓Lifestyle Trainer課程。
- 唐的持續性收入講座，幫助了新的經銷商了解一個「在家工作的生意機會」對他們及他們家庭的意義深遠。
- 唐做一對一的諮詢，還有大型或小型的"鐵板燒聚會"。
- 唐畢業於華盛頓大學，擁有社會學學士學位。他是 1960 年撐竿跳紀錄保持人。

南西‧菲拉

- 現職 CEO of Fun .com，"樂趣"網路公司執行長。（選擇一個激動人心的事業）
- 南西是網路行銷培訓師及激勵大師。
- 南西為不同團隊或公司客製化培訓課程。
- 經驗豐富的大型會議主持和公認的演說專家。
- 自一個國內企業的副總裁工作退休。

各位中文讀者，你好!

我是 Don Failla，很高興看到中文版的出版。我要特別感謝中文版的版權所有人唐飛達教練，我們雖然只在網路上見過，但經過無數次的深度會談後，他對網路行銷事業的熱情與使命令我感動。雖然我和唐飛達教練不同國籍不同種族，而且是分隔在地球兩端的兩個人，但我發現我們有相同的願景，我們為了推動全球生活風格教練的運動而努力，天底下沒有任何事比能幫助別人創業成功來得更有意義，我們覺得這是最大的善事。我們希望能提供一個正確簡單的方法，讓每個人在網路行銷這個事業都有一個正確的開始，然後堅持不放棄，進而擁有自己的人生。～過自己夢想的生活～。

以下幾個想法或許可以作為本書的導讀，各位在不同的章節裡應該會有不同的領略：

1. 45 年來，我已經運用此系統，成功地在網路行銷事業建立五次大組織。我目前的組織開始於四個人，一個來自挪威，一個來自瑞典，一個來自義大利，一個來自德國。我參與這家公司到現在 18 年了，現在組織人數有 80 萬，而 95% 的經銷商是來自於最初的那四位。

2. 大部份從事網路行銷的經銷商都無法瞭解、分辨網路行銷（NWM）與直銷（Direct Sales）的差異點。這點混淆是可以被理解的，因為大多數有聲譽的網路行銷公司都登記在直銷協會裡。網路行銷是讓你的銷售來自於『自然的組織建立結果』，而大多數失敗的經銷商卻一直『強調銷售產品來建立組織』，這樣終究是無法建立大而穩定的組織。

   你認為網路行銷事業需要像推銷員一樣努力推銷，才能創造巨大的營業額嗎？

3. 在網路行銷事業中，你要讓一個新加入的經營者接受多久的訓練後才能獨立推薦出一個『經營者』？兩個月？還是兩週？我有一套系統，能讓他十分鐘後就能獨立推薦『經營者』。

你的疑慮會隨著本書章節的進行，逐漸地得到答案。

希望你好好享受這趟旅程！

Don Failla

Nov 20, 2012

The
45
Second
Presentation

審譯者簡介

→ 唐飛達教練

美國奧克拉荷馬市大學 MBA

外商藥廠台灣區總經理

多家組織行銷公司諮詢顧問

網絡營銷專業 中國企業十大培訓專家

組織行銷大師　Don and Nancy Failla　訓練機構大中華區總代理

「生活風格教練」學院 院長

審譯者推薦～感謝此書之十章餐巾紙講座，讓我全然「擁有我的人生」。
黎巴嫩詩人 紀伯倫：「我們已走得太遠，以致於忘了為什麼而出發」。

International Lifestyle Trainer 「國際生活風格教練」Don Failla 提出的
Lifestyle Trainer Movement 「生活風格教練運動」是符合現代人的價值
新生活運動。在一直標榜賺錢為主流的商業氛圍裡， Don Failla 提倡成為
『生活風格教練』（Lifestyle Trainer）擁有財富（Money）、時間（Time
）和健康（Health）的生活風格（lifestyle）。並進而協助週遭朋友真正實
踐「擁有你的生活計劃」（The own your life plan）。

相信這對許多人擁有財富，卻抽不出時間陪伴家人，賺到萬貫家財但卻失
去寶貴健康之士是個諷刺！而對於尚在汲汲辛苦工作，追求財富的大多數
人，不失為一個警惕！基於這些社會現象，是否更應讓我們重新思索，
如何定位我們的人生。

大多數人已忘了，我們為什麼而出發？是不是因為我們已走入了不得已的
選擇！亦或我們已被眼前的財務窘境，剝奪了我們的夢想。

如何與此書結緣

17年前在美商藥品公司擔任訓練及業務經理一職 ，在很偶然的機會接觸
到組織行銷的創業機會。因個人的業務經驗及所累積的人脈，很快在六個
月的時間就獲得月收入臺幣十萬元的兼差收入，一向崇尚自由生活的我，
隨即辭去臺幣十多萬月收入的藥廠高薪，決心全力投入組織運作，自行創
業。

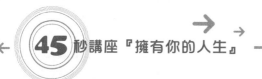

全職才兩個多月後，組織卻無預警的大崩盤，月收入一路下滑到只剩下臺幣兩萬左右，頓時非常沮喪而且不知如何是好！

直到赴美參加年度大會，美國友人介紹 Don Failla 熱銷的 "10 napkin" "十章餐巾紙講座" 這本簡單易懂的英文書。我買回旅館三天把它看完後，驚覺真是如獲至寶，怎麼從來都沒人告訴過我組織行銷就該這麼做！難怪 Don Failla 說 90% 的人都不瞭解網路行銷（Network Marketing）許多人都做錯了！他建議要進入網路行銷產業前，先學會開車（how to drive）再去選車（網路行銷公司）。你會借車給一個沒有駕照的朋友，開你的車嗎？

因為沒有名師指點，也沒人為我分析網路行銷與直銷的不同，所以一直以自己對傳統業務的了解度來教育伙伴們："銷售就是成交" 這樣的做法。看了這本書後才領悟，先前的作法是錯的！怎能期望建立大而穩建的組織呢？

原來並非我不適合或能力不夠，崩盤的原因是：我做錯了！到北京要往北走，我竟然一直往東走。這次美國之行，我找到了方法～一個改變我一生的方法。

我本來差一點就要放棄了！但運用這個系統，卻讓我後來連續八年達成台灣第一名，組織人數包括中國大陸達五萬人之多。這十七年來，我始終遵循此書中 Don Failla 的十章餐巾紙講座，已四次成功經營了包括金融保險代理及組織行銷業務，而成為公司最高位階。

目前台灣及大陸地區一直缺乏深入探究「網路行銷概念」的指導書，讓人們總是對組織行銷這個產業產生不必要的誤解，而錯失 "擁有更好生活" 的良機。這本書兼具理論與實務的成功經驗，是最適合建立團隊觀念及系

統的手冊。

Don Failla 四十年前做網路行銷時，為自己團隊寫了這套系統。28年前一家美國大型網路行銷公司 Shaklee 也向他購買了30,000本做為訓練教材。後來又陸續有很多組織行銷團隊購買他的書，吸引了書商與他簽約代理。因為此書有效率地幫助許多團隊的成功！包括中文繁體版在內，現今共發行了25種語言，全球已銷售 600 萬本。這些驚人的數字在業界，不得不讓人直呼此書為「直銷聖經」！也讓 Don Failla 成為名符其實的組織行銷大師！！

只要你瞭解此書的 10 napkin，並加以運用在組織複製。相信你一定能真正幫助你的伙伴建立「網路行銷正確態度」，也才有可能建立長久優質的體系文化。

希望藉由此書中文版的發行，能帶給華人地區的直銷人，對網路行銷有更正確的觀念及態度，進而端正直銷人員的正確作法。 讓組織行銷的創業家精神，是受到大眾認可且尊重的。

祝大家 即早創造出能提早退休的「被動性收入」。

Lifestyle Trainer
唐飛達
Jan. 01. 2013

獻　辭

本書獻給網路行銷這個生意模式，它為我們提供了自由創業的機會；透過這個機會，我們每個人都可能獲得成功。

"Withhold not good from them to whom it is due,
when it is in the power of thine hand to do it."

Proverbs 3:27

你手若有行善的力量不可推辭，
就當向那應得的人施行。

箴言3:27

目　　錄

這本《45秒講座 擁有你的人生》是每個人開始建立一個巨大的網路行銷組織所需的一切資訊！事實上，如果一個人還未學會說明這個 "講座" 那麼他們可以唸給朋友聽或寫在一張 3X5 吋的卡片上讓朋友自己去讀。

除了這個講座外，你不需要知道別的事情了！我們認為：任何對生活有更多期望的人都可以把這個生意做成功！你一旦真正的了解了這一點，你就可以將這個生意介紹給所有你認識的人了。而對一個潛在客戶的資格要求就是：他必須想從生活中尋求改變！沒有改變的慾望，就不會有任何結果。

這個系統的秘訣在於我們教會新人 "不說話"！ "多說" 是你最大的敵人。你說得越多，那麼你的潛在客戶就越會認為，他無法做你所做的事情！請記住， "沒時間" 是人們不做這個生意的頭號藉口。

你的朋友聽你分享45秒講座的概念後，可能會問你問題，無論是什麼問題，你如果回答了，你就輸了！因為在你明白過來之前，他們可能已經問了超過 5 個問題，你會被這些問題弄得暈頭轉向的。直接了當地告訴他們：他們會有很多問題，而我們的這套系統是專門為了回答他們的大部分問題而設計的。讓他們馬上閱讀餐巾紙講座的前4章，然後再回來和你談。

絕不要讓潛在客戶讀完全書，因為他們可能只會把書放在書架上，然後在該還的時候還給你。讓他們先讀前 4 章，他們通常會馬上開始閱讀的，而且超過 90% 的人會直接讀完整本書的。

在讀過本書之後，你的潛在客戶將明白什麼是"網路行銷"，這非常重要。因為人們不做這個生意，最大的原因是他們不了解這門生意。而在他們明白了網路行銷之後，你就可以展示給他們你的"車輛"了：那就是公司、產品、獎金制度！但我說過：除了這本《45秒講座　擁有你的人生》之外，你並不需要知道其他事情就可以馬上"開始"做這個生意。

所以，你該做些什麼呢？

現在，你應該應用工具或你的團隊來為你說話。工具包括公司的小冊子、CD、DVD等；你的團隊包括你的上線們以及你的推薦人。

假設你有了第一個潛在客戶！你先解說了《45秒講座　擁有你的人生》這本書，而且他們也讀完了，然後你再邀請你的潛在客戶一起吃午餐，同時讓他知道，你也會邀請你的推薦人出席並為他來說明這個生意。

（關鍵點：誰買單？當然是你買！你的推薦人是來為你工作的！現在的問題是：在你能親自說明這個生意之前，你想請你的推薦人吃多少次飯？）

在德國演講時，有位先生走過來對我說："你不但可以在對公司一無所知的情況下開始做這個生意，還可以在幫助你的下線開展工作時，每日享用免費的午餐！"

那麼，就請在你愉快地享用食物的同時，也看著生意不斷地成長吧！

The
45
Second
Presentation

第一章

介紹網路行銷

→ **網路行銷**是當今發展最快、也是被誤解最多的 "傳遞產品" 的方式。

許多人將其稱為 90 年代的產物,相信我:他們的歷史遠長於此,到 2010 年將有價值 2000 億美元的產品或服務會透過這種方式流傳!而這個數字仍在快速成長中,請留意這產業!

本書的目的在於透過插圖及例子告訴您,親愛的讀者們:什麼是網路行銷?什麼不是網路行銷?我們還會展示給你一套方法,讓你有效地,我再重複一次,**"有效地"** 向他人來解釋什麼是網路行銷。

這本書應該作為**訓練手冊**來看待,編寫此書的目的:就是幫助你訓練你組織中的夥伴。應將此書包含在你們公司的創業錦囊中。

我是在 1969 年開始接觸網路行銷的。1973 年時創建了 **"餐巾紙講座"** ,而這本書就是源自於此的。本書將涵蓋十章的 "餐巾紙講座" 。

在我正式介紹 **"餐巾紙講座"** 之前,請允許我先回答一個被問得最多、也是最基本的一個問題: "什麼是網路行銷?" 在本書中 "NWM" 和 "Network Marketing" 代表同一個意思。

讓我們來分開解釋："行銷"意味著將產品或服務從製造商或供應商處移動到消費者處。"網路"指的，除了是個人在社交圈的影響力之外，在架構組織這個生意中，透過說明產品或協助服務發生"移動"的人所得的一種報酬系統。在網路行銷這門生意裡，公司除了支付你因你的影響力所經營出來的市場之外，同時協助你成為這個生意的老闆。"網路行銷"在商業界已經是一個非常普遍的專有術語。

事實上，很多非法的"金字塔遊戲"或是"鏈式分配計畫"或"連鎖信"都試圖為自己冠上"網路行銷"的名號，而這在市場上製造了很大的困惑，現在也還未解決。所以，一些新的公司試圖用其他的名號來稱呼自己，例如"多層次行銷"、"獨立分銷行銷"或"聯合大眾行銷"等。

其實這裡只有三種移動產品的方式（當你解釋這點時，伸出三根手指。）：

1）**零售**－所有人都瞭解零售。水果店、藥局、百貨公司等，去店裡買東西就是零售。

2）**直銷**－通常（但不一定）包括保險、烹調用具、百科全書的販售方法等等。雅芳小姐、特百惠等也都是直銷的模式。

3）**網路行銷（又稱網絡營銷）**－這是本書要討論的主要形式，請不要與以上兩項混淆。

第4種可以加入到以上行列中的方式（伸出第四根手指）是**郵購**。郵購可以是網路行銷形式，但大部分歸類為直銷。

第5種是經常與"網路行銷"相混淆的，前面提到的"**金字塔遊戲**"。但事實上，"**金字塔遊戲**"**是非法的**。它們非法的主要原因之一就是：他們沒有合理的產品與服務去支援行銷活動。如果沒有產品或服務的"移動"，你怎麼可以稱之為行銷？更不要說是"網路行銷"了。"網路"是真的，**但行銷卻未必了。**

人們對網路行銷的拒絕，許多是因為分不清楚網路行銷與直銷的差別。這種混淆是可以理解的，因為很多知名的網路行銷公司都加入了直銷協會。

這種認為網路行銷就是挨家挨戶敲門賣東西的成見，很多就是來自於他們自己的親身經歷，因為他們接觸網路行銷的第一次經驗可能就是一個經銷商敲門試圖賣給他們一些東西。

這裡有些特徵可以區分網路行銷、零售、直銷。其中最大的不同就是：網路行銷是你自己的生意，**但不是只靠你一個人。**

透過自己做生意，無論你是否以自家做為辦公室，你都能享受一些**稅務上的優惠**，在本書中我們不談這個話題，大部分人可以從其會計師或許多相關書籍中得到這方面的資訊。

因為是自己做生意，你可以從你所加入的公司中以**批發價**購買產品，這也就意味著你可以（而且應該）自己使用這些產品；許多人加入這個生意，一開始是為了享受批發價，然後他們才漸漸地開始認真地對待這個生意的！因為你是以批發價來買這些產品的，如果你也想用**零售價**來賣出產品而**獲得利潤**，這也是可以的。

最常見的一個誤解就是：要想在網路行銷中成功，你必須零售很多產品。當然零售不能被忽略。有很多公司甚至要求經銷商要完成一定數量的零售金額來獲得領取獎金的資格。你當然可以零售一些產品，但若想獲得可觀的網路行銷獎金，只有透過建立巨大的組織方可。

關鍵點：最好的銷售行為是透過你在建立網路時自然形成的結果。

很多人失敗是因為顛倒了順序，他們在建立網路組織時，過分強調銷售了！

在你進一步讀到其他的 "餐巾紙講座" 時，你將會看到這個概念漸漸在你面前展開。 對95%的人而言， "銷售" 這個詞往往會勾起負面的印象。在網路行銷中，你不需要傳統意義上的銷售。但是，**如果沒有產品的買賣**，也就沒有人會拿到獎金。我定義的 "推銷" 是指：給陌生人打電話試圖賣給他們一些他們並不需要或不想要的東西。但有一點還是必須再三強調：**若無產品買賣，沒人會拿到獎金。**

當你建立一個組織時，你其實是建立了一個可以在其中流通產品的網路。零售是網路行銷的基礎，網路行銷中的銷售是經銷商和他的朋友們、鄰居們、親戚們**分享**產品時自然發生的，他們從來不直接向陌生人推銷。

要想建立成功的網路行銷生意，你需要 "推薦" 與 "教育" 這二者的平衡；在做這兩件事的同時，你可以透過零售產品給你的朋友、鄰居以及親友們來建立一個客戶網路。

不要試圖 "單槍匹馬" 打天下，記住網路行銷的精義：在於建立一個網路，其中的每個人只做很少的零售；這比要求幾個人賣很多東西要有效得多、容易得多。

幾乎所有的網路行銷公司都不需要花大錢去做廣告， "口耳相傳" 幾乎是唯一的廣告形式。因為如此，他們就可以將更多的資金放在產品的開發上；這樣一來，同樣的產品會比一般商店中的同質性產品品質要高得多。你可以和朋友**分享**一些他們已經在用的產品，他們所要做的只是將正在用的產品換個牌子而已！

你可以看到，這不是一個挨家挨戶地推銷或每天打電話給陌生人的生意。

我所知道的所有網路行銷公司都是教導經銷商和他的朋友**分享**他們產品的優點，而這就是網路行銷中所涉及的銷售（我比較喜歡用 "分享" 因為這就是銷售的精義）。

網路行銷與直銷的另一個區別，就是**推薦**其他的經銷商加入。在直銷或一些網路行銷公司中，這個過程叫 **"招募"**；但 "推薦" 與 "招募" 是完全不同的兩件事。你 "推薦" 一個人是指：教會他如何做你所做的事情，並幫助他們建立自己的生意。這裡我想強調一下： "推薦一個人" 與 "簽下一個人" 是完全不同的。當你**推薦**一個人時，你就是對他們**做出承諾**。如果你不想去完成這個承諾，那麼你對加入的這個人是不負責任的。

在這一點上，你要**願意**去幫助他們建立一個屬於**他們自己的生意**！而這本書無價的地方就在於：**教會**你如何做到這一切！

一個推薦人的**責任**就是教會新人如何做這門生意的一切知識與技能。這包括：如何啟動，如何建立並訓練自己的組織等。 本書將循序漸進地使你能承擔起這些義務。 **"推薦並支持"** 是讓網路行銷成長的關鍵，隨著你組織的擴大，你就踏上了成為**獨立的、成功的**生意人之路，你將成為**你自己的老闆**！

在直銷公司中，你是為公司而工作，如果你決定不做這個公司或移民到另一個國家，往往你就要重新開始；而在幾乎所有網路行銷公司中，無論你搬到哪裡，你都不會失去之前所累積起來的成果。

在網路行銷中你可以賺到很多錢，不同的公司，所需的時間不同。但若想賺大錢，一定是由建立巨大的網路行銷組織中獲得的，而不是透過賣產品得來的。當然，你可以透過零售來謀生，但要**發大財**，則必須將建立巨大的網路行銷組織作為你的主要目標！

人們在加入網路行銷之後，剛開始可能只想每個月多賺 50、100，甚至 200 美元，接著，他可能充分了解到如果更認真做的話，他們可以每個月多賺 1000、2000 美元或更多。再一次，請記住，一個人靠賣產品是不可能賺到那麼多錢的……如果想賺那種數目的錢，只能透過建立巨大的網路行銷組織才可以實現。

本書的目的就在於：教會你如何迅速地建立一個大的網路行銷組織，這就要求你養成對網路行銷的正確態度。如果一個人認為網路行銷是非法的，或認為是金字塔之類的，那麼你將生意介紹給他，可能就比較麻煩。

你必須展示給他們鐵的事實，去摒棄那種認為網路行銷是非法組織的錯誤觀念。 下面的插圖可以很清楚地解釋這點，金字塔是從上往下建的，只有那些在一開始就加入的人，才有可能始終保持在頂端。

而在網路行銷的三角形中，每個人都是從底部開始，並且公平地享有創建巨大的網路組織的機會。只要他努力，一個新人可以建立起比他推薦人大上許多的組織。開始時，你的主要目標在於引導你的潛在客戶進入關於網路行銷的一般性討論；並且伸出3根手指來解釋：零售、直銷與網路行銷的區別；這樣你就有了一個好的開始，為將來推薦他們加入你的 "生意" 打下基礎。

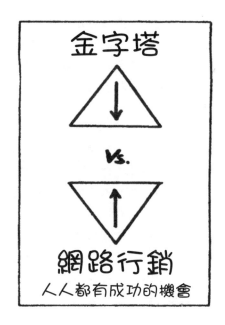

大多數人沒有意識到網路行銷是這麼巨大的產業。其實網路行銷已經有超

過 50 年的歷史了，有些公司甚至已經存在超過 45 年，而且光是這家 45 年的公司自己就可以每年創造 10 億美元的銷售額。

我知道有一個公司在其第一年就創造了 650 萬美元的業績；第二年 **6200 萬**美元，預計第三年其業績將達 **1.22 億**美元，他們將在第 10 年時，達到 **10 億**美元的銷售額。而本書中所介紹的原則與方法可使這個目標變得可行，無論以什麼做為標準，這都是非常成功的結果。

網路行銷對產品研發者或生產商而言都是一個推廣產品很實際可行的方法，不用先花上幾百萬美元來做廣告宣傳，也不用擔心失去對產品的擁有權。

備　　註

本章的內容應該在你介紹公司與產品**之前**為新人說明。對那些剛接觸公司或產品的人，你**必須**馬上與他們分享本章中包含的內容，你希望他們的認知從第一天開始就是正確的。做這件事的目的就是要糾正他們以下的錯誤想法："若要在網路行銷中賺大錢，必須要推薦**很多人**才可以。"

本章也說明如何和他們所推薦的夥伴一起作業，並且如何幫助新人啟動，這個講座可以從寫下 2X2＝4 開始，然後繼續這個過程，如右圖所示。

$$\begin{array}{c} 2 \\ \times 2 \\ \hline 4 \\ \times 2 \\ \hline 8 \\ \times 2 \\ \hline 16 \end{array}$$

我曾經開過一個玩笑，如果你推薦的新人無法完成這個計算，那麼還是**放棄**他吧！因為和他一起工作會有很大的麻煩！請注意，從現在起，我們開始用"推薦"這個詞。在 2X2 的右側寫下 3X3，並說：在這裡，"你推薦了 3 個人，同時，你教會（我們也開始運用"教會"這個詞）這 3 個人每人去推薦 3 個人，這樣你就會得到 9 個人；然後每人再推薦 3 個人，這樣你就會得到 27 個人；再往下走一代，你就會得到 81 個人。請注意 16 與 81 的區別，讓他們意識到這個差別，並問

他們是否同意這是個很大的差別？

然後指出來，**真正的差別**就在於這開始的 **1**，也就是每個人只多推薦 **1 個人**。通常在此時，你會從對方那裡得到一些驚嘆的反應，這時你要繼續進行，效果會更好。

我們假設你推薦 4 個人加入這個生意，在 3X3 的右邊，寫下 4X4。當你寫下時，你可以一邊解釋說：那讓我們看看，如果每人只多推薦 **2 個人**會有什麼變化呢？你推薦了 4 個人，然後教會他們每人推薦 4 個人，然後你幫助你的 4 個人去教會那 16 個人每人推薦 4 個人，這樣在你的網路行銷組織中就變成 64 個人了，只要再往下走一代，你就可以看到，你的組織增加到了 256 個人了。

這時你要指出：在這裡，你就可以看到比較大的差別了，但……， 通常這時，你會再次得到對方的一些驚嘆；當他們看到這些概念之後，而且在他們發表意見之前，你應該切入繼續講：　"而這個**差別**僅僅在於每個人只是多推薦了 **2 個人**。"

我們只算到推薦5個人為止，通常這時，他們已經心領神會你的意思了。現在你不需要再重複 "教會"、"推薦" 等詞語了，直接寫下 5X5＝25，25X5＝125，125X5＝625，這時他們就可以看到真正讓人興奮的差別了，而這個**巨大差別**的起點就是每個人多推薦了 **3 個人而已**。

很多人可以很容易就了解推薦 1 個、2 個、3 個或更多人的這個部份，但你會發現他們對第四層最下面的數字（16，81，256，625）會感到非常不可思議。

現在讓我們停留在最後一列，想像一下：你們經過一段時間努力後，推薦了 5 個人加入了你的公司，而這 5 個人就代表了 5 個真正想建立網路行銷組織，非常認真有野心的下線，當然你可能要推薦 10、15 或 20 個人才可能篩選出這 5 個真正認真有野心的下線。

但是，一旦你徹底地理解了所有的**十章餐巾紙講座**，你就會發現你推薦的人會比那些不知道這個概念的人**更快**認真地看待這個生意。這本書將教會你如何和他們一起合作，並讓他們**儘快地**認真起來。

請注意右邊的數字，當你推薦了 5 個人，他們又推薦了 5個人，繼續往下走，你將這些數字（圈起來）加起來，那麼在你的組織中認真有野心的人將有 780 個人。做這個說明，將幫助你回答以下的問題："做網路行銷生意，必須要賣很多產品嗎？"如果你積極地從事網路行銷的生意，那麼你一定會遇到許多這樣的疑問！所以和新人一起"走過"這個**餐巾紙講座**，從向他解釋 2X2＝4 開始，……，一直到累加起來有 780 個經銷商為止。

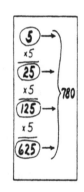

在**任何一個**網路行銷公司中，如果你有一個 780 個人的組織來**消費**公司的產品，那你一定會有一個巨大的營業額（當然，我們還未加上那些並不是十分認真的"產品使用者"）。

假設每個人都有 2 個、3 個、4 個或 5 個朋友，也假設每個人都有 10 個產品愛用者，是朋友、親人、熟人介紹而來的，那將會形成 7800 個客戶，再加上原有的 780 個認真有野心的經銷商，你就有 8580 個產品愛用者了！你不認為這樣龐大的用戶群可以提供給你一個可觀的收入嗎？這就是我們如何在這個生意中賺錢的訣竅：讓每一個人都只做一點點！但神奇之處卻是在於你只和 **5 個認真的人**一起合作這個事業，而不需要整個部隊！

常常有很多網路行銷公司的經銷商以及我們公司中其他組織的經銷商震驚於我們發展的**速度**，他們有些已經做了一段時間，有些甚至比我們還久，因此他們不斷搔著腦袋想："你們到底做了些什麼事，是我們沒有做的啊？"

我們對於這個問題的回答是："你和多少**第一代**的下線一起作業呢？"（第一代下線是指那些你直接推薦的下線，也可稱為第一層下線）我聽到的答覆一般是 25-50 個或者更多。我認識一些人，他們的第一代下線有超過 100 個的。但我可以向你保證，一旦你理解了本書中所講的原則，你就可以在 6 個月之內超過那些人，儘管他們已經經營這個事業 6-8 年了！

讓我們看看**陸軍、海軍、空軍、海軍陸戰隊**的編制吧！不論是從大頭兵或者到五角大廈的高級將官，沒有人會**直接**指揮超過 5-6 個人的（這很少有例外的）。想想看吧：美國的西點軍校、安那波里斯海軍軍校，每個都有超過 200 年的歷史。在軍隊中，他們認為，任何人都不該直接去指揮超過 5-6 個人，因為那是沒有效率的。那麼請你告訴我，為什麼在網路行銷中，人們就認為他們可以有效地和 50 個以上的直接下線同時一起作業呢？**這是無法做到的**！這也就是為什麼這麼多人失敗的原因啊。

隨著閱讀，你可以看到不論何時，我們都不應該和超過 5 個以上的經銷商同時一起作業。而是應該在他們加入後，馬上協助他們往下發展！當他們學習到了足夠的專業知識而不再需要你，而他們也可以 "獨立作業" 地去闖天下時；你就有時間去和另外一個認真有野心的經銷商一起作業了。要記得，隨時將緊密合作的第一代下線人數保持在 5 個。有些公司的制度甚至只允許你最多開 3-4 條線，在我認識的人中，還沒有誰能同時有效地與超過 5 個人合作無間的。

這些**餐巾紙講座**是有意義地串聯在一起的，讀到某處，你可能有些問題，但隨著閱讀的展開，答案就會在別的地方出現了！

備　註

為什麼有那麼多優秀的業務員在網路行銷中失敗呢？在這一章裡將澄清一些有推銷傾向的人士容易犯的錯。

讓我來解釋一下：我們為什麼寧願介紹 10 個老師加入生意，而不是 10 個**業務員！但不要誤會我的意思**，我認為業務員可以是你組織中非常珍貴的"資產"，但前提是他們要先讀完這十章餐巾紙講座，並且徹底地瞭解。

大部分人往往會被我上面所說的話弄糊塗了，那是因為他們還沒有真正了解網路行銷是一種市場行銷的**方法學**。我們**不是**招募人們加入直銷組織去賣貨，而是推薦他們進入網路行銷計畫中運行。

在大多數情況下，我們和業務員的分歧在於：當他們看到很棒的產品時，會有一種想立刻衝出去推廣的衝動！他們可以自己準備說明會，並且不需要你教他們如何賣東西，因為他們本身是專業的業務員。這裡的重點是：我們並不想告訴他們如何去賣東西，我們只是想**教會**他們如何去教會別人去**推薦**這個生意，並最終建立一個成功的、巨大的網路行銷組織。這個過程複製正確時，任何人都可以在這個生意裡成功，**而不必盲目地去賣貨了**。如果你不能和他們坐下來，好好談一談網路行銷與直銷的幾點區別，那麼他們很可能就會走到錯誤的方向去了。

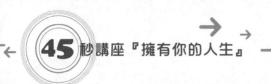

隨著餐巾紙講座的繼續，我會為你們舉幾個例子。大部分的人（尤其是業務員）認為如果你推薦了一個人，那麼你就是複製了你的努力，因為本來只有一個人，現在是兩個人，聽起來挺有邏輯的，**其實不然。**

不真實的原因在於：如果推薦人不做了的話，那麼被推薦的人往往也會離開，他們一般不會繼續留下來。你必須解釋給你的夥伴了解：他們必須要**往下發展三代**，才可稱為真正的**複製**。

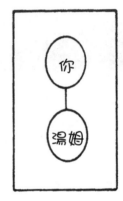

一般來說，如果你的推薦人在協助你真正瞭解這個事業之前，就先放棄了的話，你往往會得出這樣的結論：這個事業不能做，因為連你的推薦人都離開了，而你的推薦人應該比你更瞭解這個事業才對啊。現在假設你在這裡（畫一個圈，在其中寫上"**你**"），你推薦了湯姆（在"你"下面，再畫一個圈，並寫上"**湯姆**"），並用一條線連起兩個圈。現在，如果你退出了，你覺得湯姆留下來的機率有多高呢？但如果這時湯姆推薦了卡蘿，那麼你的複製過程就**開始**了。

但是如果湯姆並未教會卡蘿如何去推薦，那麼這個複製的過程也會逐漸終止。你必須**教會湯姆**如何去**教會**卡蘿怎樣去推薦新人。這樣卡蘿就可能會推薦出貝蒂或更多人了。

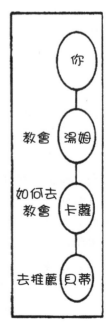

現在你已經有了 **3** 代下線了，如果這時你離開了（去幫助另一個新人或搬家了），這個團隊還是會繼續走下去的。我要強調一下：**你必須要往下走三代**，不然

你什麼也沒有；只有到那個時候，你才可以說你成功地完成了**複製**！

就算你的第一代下線只明白了這一點，但可以確定的是：他已經掌握了一把成功的鑰匙，而且會比大多數網路行銷中的其他人有更大的成功機會。以下就是可能發生在"業務員"身上的事：當他看完了產品的說明，聽到或看到了別人使用這個產品之後的見證分享，學習了產品的使用方法後，他們就會跑出去發瘋似地賣起產品來。別忘了他們是**業務員**！他們可能曾經做過直銷，而且他們打電話給陌生人沒有任何心理障礙。

這當然很棒！但是你還是要對你的超級業務員（這裡，我們稱其為"查理"）說："嘿，查理，如果你想**賺大錢**的話，不能只靠自己哦，你要去推薦新人。"

查理了解了的話會怎樣做呢？他會衝出去，推薦，推薦，再推薦……他掀起一股"推薦風暴"！一個優秀的"業務員"在網路行銷中可以每週推薦3-4個新人加入。但也往往會發生以下的事：不用過多久，加入的人會以同樣的速度離開。如果你不能**有效地**指導這些業務員怎麼做這個工作，那麼他們很快會遇到困難，然後就變得沮喪並且放棄。

當受挫的查理終於失去耐心，發現沒賺到大錢後，他就會放棄，轉而去找些新的東西賣了。這個推薦查理的人本來指望查理能幫他發大財，至此就洩氣了，也退出了！

在網路行銷中發大財的人往往都沒什麼銷售背景，這些人不見得都是**學校老師**出身的，但大部分人多少都有些教育的經驗。我認識一個小學校長，經過 24 個月的努力，建立了一個網路行銷組織，每個月可以為他創造 **15,000** 美元的收入，他所做的就是**教會別人**如何去做這個生意！

讓我們在查理的例子中加入一些數字來看看錯誤到底出在哪裡？我們假設查理衝出去推薦了 130 個人，記得嗎，他可是個超級業務員喔！我們再假設他又讓這 130 個人每人推薦了5 個人，這樣就有了 130X5＝650 個人，加上之前推薦的 130 個人，那麼整個團隊是 780 個人了（這個數字是不是很耳熟？）。

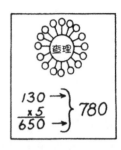

當你把這個圖表與數字給你的夥伴看時，問他這個問題："哪種方法會比較快？"是上面這個方法？還是推薦 5 個認真的人，然後**教會他們如何去推薦別人**？……

這時你的伙伴會有另一個問題出現："那我要教他們什麼啊？"答案是：你在這本書中所學到的知識——這**"十章餐巾紙講座"**。他們最終需要全部了解，但剛開始時，前四章餐巾紙講座是足以讓他開工了。

教會他們 2X2＝4，以及說明為什麼人們會失敗的原因等等。你想想看：你需要多少時間才能推薦 130 個人？當你推薦了第 130 個人的時候，前面有多少人已經離開了？你會發現你失去他們的速度是很快的！但是以餐巾紙講座第一章中介紹的那種方法所建立起的 780 個人的團隊，維持率是很高的。

當你將這裡的邏輯解釋給一個業務員聽，當這個業務員真的聽懂了之後，他會說："啊哈，現在我知道我該怎麼做了！"然後他會馬上衝出去大做特做！

注意：這時你必須把他拉回來，因為他還沒真正了解本章中的精髓！但大部分網路行銷事業中所謂的上線，卻會在這時候鼓勵下線開始出去衝鋒陷陣。當下線出去推薦了一些人，然後回來說："耶！這禮拜我推薦了 5 個新人了！"你也通常會說："太棒了！"並鼓勵地拍拍他的背。下個禮拜，這個下線又推薦了 5 個人，但是上個禮拜推薦的 5 個人怎樣了呢？已經不見了。

如果你了解了"業務員失敗症候群"的話，你仍然可以鼓勵他們的努力成果，但同時也一定要強調：**幫助那些已經加入的人儘快推薦新人**比他們自己推薦新人**更重要**！

當我推薦一個新人加入之後，對我而言，**幫助這個新人儘快地推薦其他新人**，比我自己出去推薦一個新人更重要！無論怎樣強調這點都不過分，這一點我們將來還會再討論。

在這十章餐巾紙講座中，先讀前四章是**必須的**；如果實在沒有時間，那麼一定要先讀完餐巾紙講座第一、第二章，只要稍加練習，我相信你就可以具備在 5-10 分鐘之內說明給其他人聽的技巧了。

在我以前加入的一個公司裡，我推薦了一個叫卡爾的先生，卡爾告訴我他已經推薦了住在田納西的女兒加入，而他的女兒幾乎認識整個城裡的人。我跟他說：這太棒了！但我隨即又補上一句話說，有些事我想讓他馬上轉告他女兒！我問他手邊是否有紙筆（他正好有）我讓他寫下 2X2＝4，然後一直繼續說明下去……。我請他馬上打電話給他女兒，告訴她這個很多人會在剛加入時犯的錯，一定要儘快讓她全盤了解這一點，才可以確定她從一開始就走上一條正確的道路。然後他馬上打了電話給他的女兒，結果證明兩個人都經營得非常成功！

備　註

餐巾紙講座第二章 你必須做的四件事

為了讓你成功地往深度發展，**在餐巾紙講座第一章中**，我們告訴你一些**必須做的事**；在餐巾紙講座第二章中，我們告訴你一些**不能做的事**。在本章中，我們將告訴你為了成功地經營網路行銷這個事業，你**必須做**的四件事。 在網路行銷中那些每年賺 10 萬、20 萬美元或更多錢的人，他們都**做了**或**正在做**這四件事。

為了幫助你記住這四件事，我將其比喻成一個故事，這樣你不但能**記住**這個故事，而且也會記住應做的四件事。

這個故事是這樣的：假設你想開車從下雨的華盛頓州（其實並不像人們說的那麼糟）到陽光明媚的加州，"陽光"加州代表你所在公司的**最高階**！當你到達加州時，就代表你**成功**了。

第一件你要做的事是：**坐進車裡，發動引擎**。如果你不開始的話，你就不可能在任何一家網路行銷公司中獲利。啟動費用因公司而異，可以是 0、$12.5、$45、$100、$200、$500 美元或更多。

第二件事就是要**加油**。在你去 "加州" 的途中，你會不斷地消耗汽油（也就是你代理的產品），所以就要不斷地補充。網路行銷是推廣**消費型**產品的最好模式，你將因喜歡而不斷使用，結果就會不斷地購買。**你必須愛用自己公司生產的產品。**

記住，我們在第一章餐巾紙講座中提到的 780 個經銷商，不論你經營的是哪家公司，780 個人的消費量都會給你帶來一份不錯的收入。通常來說，代理消費型的產品是非常有優勢的，而大部分網路行銷公司都是在這個範疇。非消費型的產品一般是比較透過零售與直銷的模式來推廣，但也並不是絕對的。

使用自己公司產品的另一個優點是：你會因為公司優質的產品，幫助了自己及其他人的健康得到了改善而感到興奮。也因為不需要在廣告上投入大量金錢，網路行銷公司可以在產品的開發與研究上投入更多預算，產生的結果就是：網路行銷公司所生產的產品，品質通常會比零售通路中販售的產品品質要高上許多。

第三件要做的事就是打**高速省油檔**。當然，你也知道，沒有人一發動汽車就以**高速省油檔**來行進。我們都是從**空檔**開始的（請注意，我們開的不是自排車），我們雖然已經坐進車裡了，但終究還在停車

位上，鑰匙雖然已插進去了，引擎也已經發動了，但你若是不打檔的話，哪也去不了，更不可能到達加州。

打檔，也就是你必須推薦新人，當你推薦了新人後，你就打了**第一檔**，我認為你的第一檔至少要打 5 次，才能推薦到 **5 個認真有野心**的經銷商；在其他的章節中，我將告訴你們如何判斷一個人是不是認真有野心的。 當然你也希望你推薦的 5 個新人**也**開始打檔；你要**教會**他們如何打第一檔：也就是推薦別人加入！

當你的 5 個新人每人打第一檔 5 次，那麼你就進入**第二檔** 25 次了。

協助你的 5 個新人去教會他們的 5 個新人每人打第一檔5 次。 這樣他們每人在第二檔的 25 次時，你就已經進入**第三檔**的 125 次了；當你有第三代的125個經銷商進入第一檔時，你就在第四檔了，你一定知道當車子打第四檔時，行進起來是多麼順暢呀！你的組織也是一樣的，當你的第一代進入第三檔時，你就進入**第四檔**了。

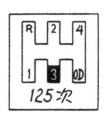

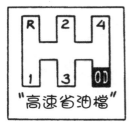

當然，你也希望你的夥伴進入**高速檔**，當他們進入**第四檔**，你就進入高速省油檔了。那麼如何處於高速省油檔呢？你只需要幫助你推薦的人教會他們的夥伴進入第三檔，那麼你推薦的人就進入第四檔，而你就進入**高速省油檔**了！

第四件事：在你開車去加州的路上，和與你一起去的人**分享**產品，讓他感受到產品的好處。當他們想知道去哪裡買產品的時候，你當然就是提供服

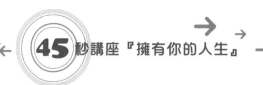

務的不二人選了（在同一輛車裡嘛）！與你的朋友分享產品，就是網路行銷這個生意中的零售部分了！

請注意，我們已經帶你走過餐巾紙講座的第一章、第二章，現在是第三章，在這裡，我們告訴了你**成功所需要做的四件事**。你是否注意到我們**從未說**：要成功必須**零售**吧！我們說：你通常不必做實質上的"銷售"但是**我們確實說了**：你要和你的朋友們**分享**產品；你甚至可以與陌生人分享產品，當他們看到並了解你代理的產品的益處與獎金計劃時，他們就很有可能變成你的**新夥伴**了。

你不需要很多的消費者，比方說 10 個或甚至更少。如果你總共只有 10 個客戶，那也很好呀！也就是說你的第四件事做得比較少而已。實際上，我們可以完全不做第四件事，僅靠做好前面三件事也能讓你順利到達加州。

1. 坐進車裡一開始
2. 使用產品。
3. 打高速省油檔。
4. 與朋友分享產品（零售）。

但是請注意：如果你不做第三件事（**打高速省油檔**）而是做了很多第四件事，那麼你將永遠無法做大（這也就是業務員們經常犯的錯誤）。一旦你懂了這點而且將它與第一、二件事連接起來，你就開始擁有**正確的網路行銷態度**了。

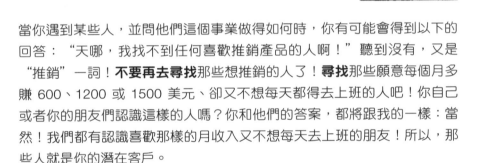

對你的新人而言，你應設法將 "5" 這數字植入他們的潛意識。你所做的一切就是找到 5 個打算認真又有野心的對待這個事業的人。

當你遇到某些人，並問他們這個事業做得如何時，你有可能會得到以下的回答："天哪，我找不到任何喜歡推銷產品的人啊！" 聽到沒有，又是 "推銷" 一詞！**不要再去尋找**那些想推銷的人了！**尋找**那些願意每個月多賺 600、1200 或 1500 美元、卻又不想每天都得去上班的人吧！你自己或者你的朋友們認識這樣的人嗎？你和他們的答案，都將跟我的一樣：當然！我們都有認識喜歡那樣的月收入又不想每天去上班的朋友！所以，那些人就是你的潛在客戶。

只需點出：每個禮拜大概只要花他們閒暇時間中的 5-10 個小時就可以建立一個屬於自己的事業，然後緊接著說：這樣哪裡不對嗎？有些人加入網路行銷公司，只是盼望什麼都不用做，就好事不斷，就可以發大財，不是這樣的！ 請記著，我們開去加州的車，**可不是 "自排" 的**喔！

你我都知道，我們大家都曾上過學，我沒有說上學畢業拿學位是錯的；但想想看，你每天去學校上學，然後再花一整天或半個晚上不斷的複習所學，日復一日，年復一年，總共花了將近20年，當你最後終於畢業了，你能賺多少錢？……

但是，如果你每週拿出 5-10 個小時去**學習**這十章餐巾紙講座以及你公司

的產品及獎金制度等知識，再加上你正在讀的這本書，就是你明天會成功的一把金鑰匙。當一個人學會並了解這些講座後，再將這些知識傳授給更多的人，他就會自然而然地走上成功之路！

你可能是第一次讀到或聽到這些概念，所以我們並不期待你一下子就可以將在這裡所學的內容馬上教會他人，因為**沒那個必要**。

請記住，一個人加入網路行銷公司，必須要有個**推薦人**。如果你的推薦人是一個 "**好的**" 推薦人，他會幫助你完成推薦前 5 個人的工作。注意：這是一個**互助的關係**！在他向你的朋友們說明這些餐巾紙講座時，你的推薦人同時也在訓練你。

我在這裡有一個重要的建議，我希望每個人都能為自己設立一個學習進度的目標。當你達到公司的初級位階時，你應該**知道並了解**這十章**餐巾紙講座**；當你達到中級位階時，你應該能夠去**教會**其他人；當你接近最高位階時，你要有能力**教會**你的經營者如何**教會**其他人這十章餐巾紙講座。如果你能在最短的時間內**熟練**掌握這項技巧，那會是一件非常有利的事。

透過這本書的內容，你可以坐下來一遍一遍地學習！如果你希望有個指標來衡量進度的話，那麼你需要學習這些內容 5、6 遍甚至 10 遍。在真正掌握這項技巧後，從現在開始的一年內，你應該可以賺到每個月 2000、3000、4000 或者 **6000** 美元的收入，這難道不值得你每週花上 5-10 小時來學習嗎？

現在，你應該會認同：用這樣的方式，像 "到學校上學" 般的學習方式，將會有一個比較好的結果，不是嗎？不論你在大學裡多麼努力地學習，可以確定的是，沒有哪個學科能在未來可以為你賺到那種數目的收入的！

歡迎您來到網路行銷大學！

你必須做的四件事：

1. 坐進車裡－開始

2. 使用產品。

3. 打高速省油檔。

4. 與朋友分享產品（零售）。

備　註

餐巾紙講座第四章　組織深耕的重要性

如果你沒有向新人強調**正確啟動**的重要性，那麼**挫折與困難**將會很容易使他們重新回到原點。不要對新人強調他們**已經加入**公司多少個月了，因為只有在他們**完成了這些訓練**之後，這種紀錄才有意義。

當新人剛加入網路行銷這個事業時，通常會把那些已經成功的領袖當成學習的對象，但若是沒有指導這新人正確的觀念與心態的話，當他們遇到困難時會很容易洩氣，認為自己永遠無法趕上那些領袖。

畫一張正在跑步的人的圖（如上），箭頭所指的方向：是一個人試圖追上大家的情景。通常跑在第一個的人往往會更加倍努力，以便一直保持領先（你會發現這幅圖很容易解釋你的重點），還記得小學時跑接力賽的情形嗎？人們往往寧願一直保持領先，也不喜歡一旦殿後了就要更費力地急起直追。但在網路行銷這場競賽中，沒有終點線，參加者都可以是勝利者。

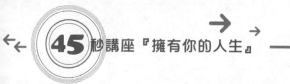

45秒講座『擁有你的人生』

我的牧師有一句話，我將它掛在辦公室中：

"真正的失敗者就是那些放棄者"

為了競賽獲勝，你需要一個好的訓練計劃。當你推薦了一個人之後，讓他知道：**剛開始**的 2-6 周是他的**訓練期**，訓練期結束的**下個月**才是他真正**開始**的月份。為了有一個正確的開始，他要閱讀或聆聽很多資料，參加每一個會議，定期和推薦人或朋友聚會，體驗產品以及送貨等等都是訓練的內容。

到了下個月，如果他還未準備好做這個生意，那麼他仍然處在**"訓練期"**，等到他確實持有認真的態度並具備相關知識之後，這個生意才可以算真正的開始。一定要走過這個流程，他們才能真正認真地對待這個生意；也就是要先做好**"暖身"**，網路行銷這個競賽才會有個**好的開始**。

這些"餐巾紙講座"當中的一個主要功能，就是當你和你的新人或潛在客戶分享這些內容之後，他們在往後通常會成為很棒的**"自我激勵者"**。因為一直到現在，當我每次向人說明 "2X2=4" 的講座時，我都會再次被網路行銷的無限可能而受到激勵。

一旦你學習並了解了我接下來要為你說明的內容時，當你下次再看到正在蓋的高樓大廈時，你都會想起這些內容而再被激勵一次！注意了，大樓在打地基的時候，你會覺得那幾個月極其漫長，一點進展也看不到；但一旦地基打好，大樓開始蓋起來時，那是一個禮拜就可以蓋好一層的**超快的速度**！看看那些高聳入雲霄的辦公大樓吧，想像那就是你**將來**所擁有的網路行銷組織！好好思考一下，你應該就知道該做些什麼了！

當你開始推薦最初的 5 個認真有野心的人時，就像是使用**鐵鍬**或**鏟子**挖地

基。注意,當你教會這 5 個人如何每人推薦 5 個
人,也就是 25 個人的時候,代表你又往下挖了一
層,這個時候,你就像使用了**挖土機**!

當你教會你的人如何教導他們自己組織裡的人去推
薦新人時,你已經穩穩地走在快要挖到基石的路上了,這時你就像用了**蒸
汽挖土機**一樣!當你看到第三代有 125 個人時,你已經到達**基石層**了。

現在你就快要 "冒出地面了" !當你再往下挖到**四代深**時,你不只變得
"可見" ,接下來,你的大樓將會飛快地蓋起來。

所以,如果在開始的頭幾個月,沒
看到生意有任何的進展,也不要洩
氣,那是因為地基還在架構中,這
有點像挖金子,很多人花上好幾個
月不斷努力地挖,卻在距離礦脈剩
下 6 英吋時放棄了!

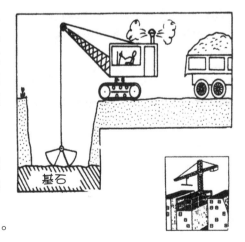

我們再回到業務員那裡,因為這通
常會發生在他們身上。他們往往就
在快要挖到 "基石" 的時候放棄,
改而去尋找其他 "熱門" 的東西了。

如果你沒有往下挖至少 4 代深的話，是很難看到實質的成長的。當然，這並不表示每個人都必須挖 **4-5 代深**。只要你的組織中有任何人往下挖了四代深，那就表示你的地基已經完成，並且高樓馬上就要變得清楚可見了！

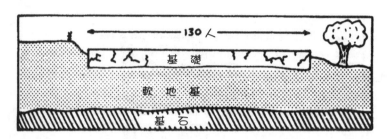

上面這個圖顯示：當一個人推薦了 130 個人加入公司時，他的地基看起來的樣子！注意：儘管這 130 個人每人又推薦了 5 個 "產品使用者" ，而形成了一個 780 個人的團隊，他還是尚未到達他的基石層！沒有堅固的基石，蓋起來的建築物不會太高，而且容易坍塌，回頭再看看去加州的旅程吧！直接推薦了 130 個人相當於打一檔的次數太多了，若這些新人沒有繼續推薦任何人，那麼這個經銷商將永遠停留在二檔上了。

學習這些餐巾紙講座並好好**應用**它們！你就不會只停留在二檔，基礎要建設得夠深，一定要深到**基石層**，這樣你就等於以**高速省油檔**輕鬆地駕駛汽車了！

當我們談到第九章 "動機態度決定一切" 時，你將徹底了解往**深度打基礎**的重要性。在繼續第五章之前，讓我再提醒你一次，你應該**儘快地**讓新人閱讀前四章講座。其他的講座可以在他們開始推薦新人加入時，再陸續地傳授給他們！

備　　註

備　　註

第六章

餐巾紙講座第五章 金船、銀船或空船

從加入到真正下定決心來做這個生意，不同的人需要的時間不同，有人需要 1 週、2 週，有人需要一個月或更長時間。到了那時，你應該已經推薦一些人加入了。這個講座若是和一群人一起做，要比"一對一"地進行會來得更有趣。

幾乎大家都聽過這樣的說法："等我……的話，我就怎樣……怎樣……了"。我總記得那些悲觀主義者常說這樣的話："好運不會降臨到我身上的啦！被閃電打到都比中樂透容易啊！"。

在網路行銷裡，你真的**能夠**等到載滿金子的船入港（中樂透），假如你學習並正確運用這些餐巾紙講座，你就可以在碼頭上等著豐收了！

有時候我會問大家："你們是否有很久沒有聯絡的親戚，他立遺囑要留給你一大筆遺產？"事實上，大部份人沒有這麼好運的。也就是說，大部份人認為他們等不到"金船"開進碼頭來的！但是，藉著網路行銷所提供的機制，這種可能性是**存在**的！

這也是我對網路行銷如此**熱衷**的原因之一。當你和別人談話的時候，你可以給他們一個**希望**：希望他們不必僅僅為了退休金，而為一個公司工作

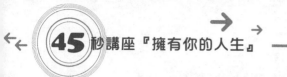

45秒講座『擁有你的人生』

30-40 年！你是否注意到：在工作 30-40 年之後，退休金若僅有以前收入的一半，有多少人還有足夠的錢可以去環遊世界呢？

網路行銷確實給廣大群眾一個機會，使他們的夢想成真，而不必等到工作了 30-40 年之後，才去做那些他們想做的事。大部分人對於獨自創業是很恐懼的，而網路行銷卻給了他們一個融入組織的機會，同時不會影響目前的工作，就能創造新的收入來源。

我現在要向你說明的就是：你如何讓自己的 **"金船" 開進碼頭來**！這代表著你在你所屬的公司裡達到了最高階。意思是：當載滿金子的船到來時，你就發財了！

這裡我用一個範例來向你說明：先在餐巾紙的一邊畫上三艘船，再在餐巾紙的另一邊畫上 **"碼頭"**，而那裡就是你等待載滿金子的船到岸的地方。

第一艘寫上 **"金船"**，第二艘寫上 **"銀船"**，第三艘寫上 **"空船"**，這些船代表你組織中的下線，不論是直接推薦還是間接推薦的，他們也可以是在你組織中的任何成員。

既然你知道你會將船上的貨物賣掉換錢，那麼你希望你的船帶什麼貨物回來呢？而你又該如何協助它靠岸呢？你可能會說："當然是載滿金子的船囉！"那是理所當然的，但為什麼大多數人好像"更"願意在"空船"上下功夫呢？那是因為大多數人從未接觸過這門生意，不瞭解其中的竅門。

通常大家認為："金船"是那些業務員，他們可以獨自作業，不需要任何幫助或指導——他們按照自己的了解度去做。他們有可能會成功，但更可能不成功——尤其是在不理解"成功的關鍵"的情況下。而"成功的關鍵"就是"建立深度，而不是寬度"！

那些"空船"是指加入系統幾個月了，但每次見面你還要說服他們"這個生意是可以成功的"的那些人。他們往往比較負面，並且非常容易洩氣。很多人將精力耗費在"空船"型的人身上，一直到他們看懂了這個講座為止。當他們明白其中的道理後，他們就知道應該要和"金船"一起作業了。

當你推薦了某人加入，先視他為一艘"銀船" 這基本上取決於你傳授給他們的方法與觀念：是將其變成"金船"，還是變成"空船"！

在第一章中，我們提到了 5 個認真有野心的人，簡單地講：我們是指"五艘載滿金子的金船"。你將銀船轉為金船的比例越高，那麼你為了找到 5 個認真有野心的人而需推薦的人數就會越少！

這裡有幾點可以幫你鑒定誰是"金船"或"認真有野心"的人：

　1）他們非常積極地學習，常常打電話給你，問各種問題。

　2）他們尋求協助，希望你能和他們的新人見面並給予訓練。

3）他們**對這個生意感到興奮**：他們學習足夠的知識去相信這個計畫可以實現,並備受鼓舞。

4）他們**做出承諾**：他們購買並**使用產品**;他們利用自己空閒的時間去學習所有關於產品與生意機會方面的知識。

5）他們有**目標**：目標可以驅動一個人去得到真正想要的東西。目標並不絕對需要寫下來(但寫下也無害呀!)。只要在他們的心中有值得去追求的事情,就會激發出動力去實現!

6）他們**有一個名單**,這個名單要**寫下**來,寫下來的原因是:任何時候你都可以在裡面追加,並且以後不會忘掉。你有可能很久沒到某個地方了,偶爾經過那裡,突然讓你想起住在這附近的某個朋友,因為你有個名單在手上,你可以立即將此人的名字加入名單當中,過幾天,你想打電話時,你可以搜尋你的名單,啊哈!這個名字在這兒!如果你不曾將它寫下來,那麼你可能再也不會想到這個老朋友了!

7）和他們**相處很愉快**。無論是否與生意有關,他們喜歡你的拜訪。

8）他們很**積極正面**。我們都願意和積極正面的人士來往,積極正面的態度具有傳染性!

以上這個列表可以一直往下延伸,這些都是"金船"的特徵!基本上,**銀船與金船**的唯一區別就在於:銀船在這個生意中的時間還不夠長,還沒有徹底了解這個生意所代表的機會,所以不如金船來得認真有野心。

我希望你記住**三個重要名詞**,如果你了解了這三個名詞,那麼你就會明白

是什麼讓網路行銷成功的，它們是：

#1- 接觸

#2- 參與

#3- 提升

第一件事是讓新人"**接觸**"你的生意。一旦你讓他接觸了這個生意，就試圖讓他參與這個生意；一旦**參與**了這個生意，他們就會思考如何在這個生意中走得更長久，並且也會經常不斷地**提升**自己。

在"**接觸**"這個階段時，可以先透過說明產品銷售的幾個方式（零售，直銷或網路行銷），並說明第一章中的"2X2＝4"這個講座來完成"接觸"的部份；接著是"**參與**"這個階段，藉著第三章帶領他們去加州旅行。最後一個階段是"**提升**"，只要他們真的理解並掌握這十章餐巾紙講座的內容後，提升自己、超越巔峰的目標會自然產生的。

當你打電話或拜訪你的下線時，很重要的是讓他們了解到：你打電話來是想**協助**他們，而不是給他們**壓力**。

我們再回頭看看"空船"型的人吧：當你打電話給他們時，你可以感覺到他們對你的致電並不感到興奮；他們對你致電的感覺是"壓力"或"騷擾"！這是一個很好的信號，若是這樣的話，你就應該開始調整你的工作重心了。

相反的，當你打電話給金船時，他們想的是：你想協助他們，你可以從談話的聲調中一下子就感覺到。"空船"並沒有目標，他們並沒有名單，他們也不認真；同時，他們也比較負面，他們不斷地要求你證明給他們看。

你要知道，一旦"空船"下沉的時候，它往往會把你也一起拖下去。我建議我的下線們遠離那些"空船"，只和"金船"一起作業，幫他們往下發展組織，或將"銀船"變成"金船"。

有時候，那些未沉的"空船"們及那些未轉成"金船"的"銀船"們，突然間看到你（"金船"）在沒有他們的情況下也能"乘風破浪"地前進，他們就會開始打電話給你了。當一個人對於生意的態度一路向下的時候，勸說他是不可能的，你最好等他"觸底後"，讓他沉澱一段時間，等他們再次準備好；他們**會打電話給你**，想和你見見面，並討論重新和你一起努力，一起成長，這時你很有機會可以很快地將他們重新帶起來。但如果你試圖在他們下沉的過程中"撈起"他們，往往他們也會把你一起"拖"下去！

這裡有一個有趣的方法來和你的夥伴進行溝通：當你和下線聚在一起時，你可以問問他們：正在和多少艘船一起工作？有多少艘金船，有多少艘銀船？

很重要的一點是：千萬千萬不要問你的新人："你上週**賣了多少貨**？"如果你問了，那麼你就毀掉了你之前告訴他們的一切！因為你在剛開始時，就已經告訴他們，他們並不需要去賣東西，他們只需要和朋友**分享**這個生意機會、**推薦**、及**架構**網路行銷組織即可。

如果你問他們"賣了多少產品？"他們的第一個反應會是：你只關心他們為你賺了多少錢！——而且他們這樣想很可能也是對的！

如果你首先想的是如何**協助你的人成功**，那麼錢財會自然而然地發生的。激勵大師齊格勒曾說過："如果你能**協助足夠的人**得到他們想要的東西，那麼你就可以得到任何你想要的東西！"

當你和直接下線通電話時，可以問問他們：他們的下線中是否有新人需要你去協助並見面聊聊的！在和他的下線通話之後，再回個電話給他，告知你已經和他的下線聊過了，他們很興奮，並且大家會再一起約時間見面……。

當你和下線打電話時，要讓他們感覺到：你是想**協助**他們，而不是在"監督"他們。"監督"下屬是直銷公司經理們的職責，我們不是在直銷產業，我們是在網路行銷這個生意裡，到這裡你應該知道這個差別了吧！

總結一下本章所講的：我指出，你們這些讀者**不是**"空船"如果你是，你現在大概也不會正在讀這本書了。如果你覺得讀此書前，你還是艘"空船"的話，那麼現在你應該已經成為一艘"金船"了吧，或至少也是艘"銀船"了，並正在變成"**金船**"當中。請繼續努力吧！

備　註

餐巾紙講座第六章　以第三人稱做為邀約的技巧

第七章

"**尋找潛在客戶**" 是本章的主題，與上一章 "金船、銀船或空船" 相呼應。 更簡單地說，我們將 "尋找潛在客戶" 稱作 "**第三方邀約**"。讓你的夥伴都瞭解**第三方邀約**的重要，同時學會如何去做！

解釋：如果我認識卡蘿，我**不會直接**去問卡蘿是否想多賺些錢？我不這樣做的原因是：即使卡蘿想多賺些錢，她也不想讓我認為她經濟上有問題，所以她會說："不，我沒興趣！"

但我可以換個方法，走上前去跟卡蘿這樣說："卡蘿，我剛開始做一個新的生意，你或許能幫到我，你是否**認識誰**想額外增加收入的？"（或說：有興趣多做個生意嗎……）。

注意：這個"第三方邀約"可以是**任何人**；我問卡蘿是否**認識任何**想多賺些錢的人！

你可以做個小實驗：從現在開始遇到的 10 個人（加油站人員，商店售貨員，理髮師，清潔人員等等），問問他們是否**認識什麼人**想多賺些外快，看看他們的反應，他們的反應會告訴你一些事情。

大多數時候，他們的反應會是"那是什麼？"，他們為什麼問"那是什麼？"，因為那個想多賺些外快的人就是**他們自己**，他們想多知道一些資訊以便做個決定。

當他們問"那是什麼？"的時候，不要故弄玄虛。有些人對不明就裡地被請到別人家裡聽上 1 到 1 個半小時的講座，感到很厭煩（有些公司教導他們的經銷商在開始時不要說任何事）。當他們問你時，你的回答可以是："你聽說過網路行銷嗎？"，他們的答案不是 YES 就是 NO。如果他們說 YES，那麼你就問問他們知道關於網路行銷的那些部分？（可以借鑒第一章中關於網路行銷的介紹）指出加入網路行銷的一般優勢與好處。

接著，請他們坐下來（如果他們依然對此感興趣的話），並看一下你所屬公司的**介紹**，事先告訴他們大概需要 1 小時左右才能瞭解**整個"介紹"**，不要試圖就在街口或在他們的工作時間中就將公司的介紹濃縮得太短，並"灌輸"給他們。 因為這樣並不完整，你只會讓他們感到更困惑； 往往是那些**不完整的資訊**會讓他們說"NO"，因為我們沒有提供足夠的資訊讓他們說"YES"！

如果你用本書介紹的方法來訓練你的夥伴的話，你就不用出去尋找潛在客戶了。在協助你直接推薦的人推薦他的朋友加入公司的過程中，你會碰到很多人可以交談。當你接觸這些人時，你跟他們談網路行銷，並且介紹他們加入你的公司；但大部分人會害怕做這一步驟，這種恐懼的來源在於那個人可能說"不"。這叫做**"被拒絕的恐懼"**！

有一個很好的例子，就是在高中時參加舞會的經驗，有一個男孩第一次去舞會，他走過大廳想邀請一個女孩跳舞，但她說"不"，結果這個男孩就轉過身，懷著**被拒絕**的沮喪，走回原地，發誓再也不邀請任何女孩跳舞了，因為他"確定"在大廳裡面所有的人都**看到**"他被拒絕了"。要知

道：沒有人願意被拒絕。而另一種狀況是：有個男孩上前去邀請一個女孩跳舞，雖然她說　"不"　，但這個男孩不氣餒，不斷再去邀約另一個女孩，再另一個……而結果是：這個男孩將整晚有跳不完的舞。

為了**克服**　"被拒絕的恐懼"　，我想讓你欺騙一下自己的大腦，這樣你才能更有效地與更多人溝通！怎樣欺騙呢？想像一下，你站在碼頭上！記得嗎？如果你想要有屬於**你的**金船返航，那麼你要先**送出**一些船！

如果你只送出一艘船，而且還是一艘空船的話，那麼你會有什麼貨物可賣呢？你送出的船越多，那麼這些船載滿**金子**回來的機率就越高，而那些**"金船"**就是你應該要一起努力合作的人。

而大部分的人從未送出過任何一艘船。當你問一個人他是否**認識什麼人**想多賺些外快時，你就相當於送出了一艘船，如果他們說："不，我不認識任何人！"你可以說："噢，那好吧！但如果你遇到什麼人有興趣的話，是否可以讓他給我打個電話？"（送上你的名片），這樣處理的話，在你的潛意識中，這個邀請仍然有效，你並未被拒絕。

當你打算送出一艘船時，只會有兩個結果，**浮著**或者**沉了**。

如果船**沉了**，那又怎樣？反正你站在碼頭上嘛！

如果船正常**浮著**，那太好了！把它送出碼頭，並協助它走對路徑，成為一艘載滿黃金的船回來！

介紹過第五、六章講座後，人們會告訴你：他們想要成為 "金船"。原因就是你剛剛告訴了他們：你只和 **"金船"** 合作，他們**願意和你一起合作**，接受他們的邀請吧！你們可以同時獲利。

備　　註

備　　註

下面的圖表告訴了你應該將時間花在哪裡？基本上，剛開始時，你應該將時間 100% 花在推薦新人上。你可能會問："剛開始的幾週不是我的**訓練期**嗎？"你說的沒錯，但是，請記住，你的推薦人會幫你去完成推薦，這也是訓練的一部分，雖然是上線在為你工作，但因你是推薦人所以"好處"由你來得。

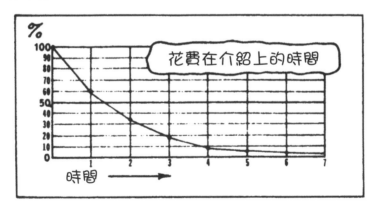

在你加入網路行銷這個生意的同時，你也應該儘快地介紹別人加入。在你加入的開始，生意就是**自己的**；如果你想成功地做這個生意，你必須找到 **5 個認真有野心的人**，當然你一定要推薦超過 5 個人，才能找到 5 個真正認真有野心的夥伴！

隨著時間的推移，你花在推薦新人上的時間會變少！為什麼？因為突然間你找到了一個認真有野心的人，然後是第 2 個，第 3 個，第 4 個，當你找到第 5 個認真有野心的人時，你就暫時不要再推薦新人了。這時你應該花時間來**教會**你這 5 艘 "金船" 怎樣去推薦；教會他們如何教導他們推薦的人往下走 3-4 代的方法。當他們不再需要你花大量時間陪伴的時候，你就又可以再去推薦或協助更多認真有野心的人了！

當你有了 5 個認真有野心的夥伴時，你應該花 95% 的時間和他們一起作業；花2.5%的時間服務零售客戶；花2.5%的時間繼續 "播種" ，這樣的話，當這 5 個認真有野心的人開始 "收穫" ，也不再需要你 "灌溉" 及 "耕作" 時，你就可以去 "照顧" 那些之前種下的種子，讓他們 "發芽" 。你應該也要注意，在你 100%的時間中，都有產品的 "買賣" 發生，但這應該是一個自然發展的結果，也就是這個生意中銷售產品的部分，我們稱之為 "**分享**" ！

備　　註

備　　註

這個講座的**另一個標題**稱作 "熊熊大火聚會"，我想大家都有露營的經驗，你一定有發現到，如果你將已經燃燒著的木材分開，火就容易熄；如果你再把它們放回一起，火就會再旺起來；如果你只有**一塊木頭**，是**生不了火的**。

"木材"

如果你有**兩塊木頭**，就比較容易生起**火苗**；當你將**三塊木頭**放在一起時，就更容易生起**火焰**；當你將**四塊木頭**全放在一起時，馬上就有了**熊熊大火**。

"火苗"

人也是一樣的， 例如下一次當你與推薦人約在飯店與某人見面時，你第一個到（那時只有你自己），注意一下你那張桌子有多少**能量**（可能根本**沒有**）？

"火焰"

當你的推薦人到的時候，這時你們就有了兩個人，那張桌子周圍就有了更多的能量。

你們兩個人如果有約其他人的話，當那人到的時候，你就**會感覺到又有更多的能量了**。

"烈焰"

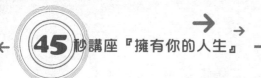

當第四個人再到達的時候，你就更可以感覺到能量的震盪了。我們喜歡將這稱之為 "熊熊大火" 或 **"鐵板燒聚會"** ，你的網路行銷計畫就是 "牛排" ，而每個人都知道 **"滋滋作響聲"** 最能促銷牛排！

所以你應該和你的推薦人一起與你的下線們分享餐巾紙講座，讓他們感受到這種 "滋滋作響聲" 的興奮感覺。

做這件事的好地點就是餐廳，選一個餐廳不忙的時段，上午 10 點或下午 2 點左右。你應該整理好你的個人行事曆，讓你的夥伴都知道你一整週的行程會在哪裡！這就像所有的人都去收集木材來同個地方 **一起生火** 是一樣的道理！

如果你帶了某人來這個 "鐵板燒聚會" ，而這個人還抱著懷疑（一塊潮濕的木頭）， 將他帶更靠近火焰，首先他將變得 "乾燥" 些，而最後他是會成為**火焰**的一部分的。

如果你自己也才剛剛加入，那麼當你嚐試著要將這個生意介紹給一個還有懷疑的人的時候，會有什麼結果呢？結果就像把一塊潮濕的木頭放在地上，怎麼可能燒得起來！

假設你是一根小樹枝，在生意中剛起步；你的推薦人，他做這個生意比你稍微長些時間，他就像一塊乾的**木頭**，**樹枝**加上**乾木頭**的話就可以生成**火苗**；雖然只是多了一個人在你身邊，卻可以造成很大的不同，因為兩個人在一起可以讓談話進行得更有彈性。例如：我原本是想讓喬了解一個新的訊息，但如果我直接跟他講，他可能不會認真地聽；但如果我跟卡蘿講的時候，知道喬在旁邊聽……你可能會很驚訝，人們在旁聽的時候會吸收的資訊多過於你直接當面告訴他來得多很多！

在餐廳中舉行 **“熊熊大火聚會”** 還有其他的好處，例如：除了你們每個人都感到熱情興奮外，還有些人會 “偷聽” 你們的談話，你可以發現他們是那些頭向後仰，想聽到更多的人。**請注意**：這些人可能會非常有興趣。 當你們完成 “鐵板燒聚會” 之後，在離開前，你可以在那裡稍微**停留幾分鐘**，給他們一個機會來找你； 如果 4 個人都還在，他們可能不會過來；但如果只剩下你，那他們可能會過來跟你聊聊！

我總是透過讓來的人各自分享一些正面的，有關產品與他們組織發展的最新消息，來為 “鐵板燒聚會” 拉開序幕，我們在此聚會中主要是談與生意有關的話題，我們來這裡不是為了解決中東問題或其他世界上的任何議題。我們來這裡是分享如何建立生意，及如何向別人介紹這個生意的想法。

我們經常在會議當中用一些有啟發性的激勵語言。例如： “嘿，你們有沒有發現！我們上班上了那麼久，好像也不曾像現在感覺擁有自己的事業這麼興奮熱情過！” 這些話是非常具有影響力的，因為有些參加聚會的人，仍然有一個朝九晚五的工作，所以當午休時間結束，他們必須離開，回去工作前，你可以這樣說： “嘿，尼克，下次見了，但是請不要忘了……” 他或許會接下去說： “是呀，我知道，你們上班那麼久也從來沒有像現在這麼興奮熱情過！” 尼克會因為你們對這份事業的積極與熱情而受到鼓舞，並且會試著儘快地加入你們的行列！

備　註

第十章

餐巾紙講座第九章 動機態度決定一切

在這所有餐巾紙講座中**最重要的其中之一就是**
"激勵"。本章會說明到底是什麼在激勵著人
們！你會學到如何去激勵你的夥伴。讓我們寫下
"激勵" 這兩個字，在它下面畫一上、一下兩個
箭頭，並寫下 **"浴缸水"** 與 **"溫泉水"**。**向下激**
勵法，也就是在 **"浴缸水"** 裡洗澡；**向上激勵**
法，也就是在 **"溫泉水"** 裡洗澡。現在我就來解釋一下：

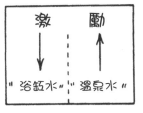

很多人都去過激勵大會，通常會感到非常興奮，感到自己對這個生意充滿
了能量。但往往幾週或幾個月過去後，他們發現熱情也漸漸地散去，就像
在浴缸裡洗澡一樣，水越熱，洗好出來後也覺得涼得越快。我看到很多人
參加激勵大會的當時是充滿了熱情的，但在回家一、二週後，卻變得徹底
沮喪，這是為什麼？

在大會的 3 天中，人們是全然被激勵起來的，但是因為沒有人告訴他們接
著應該**做什麼**？以及**如何做**？就會很快地洩了氣。讀這本書也像是洗熱水
澡一樣。參加大會、和推薦人聚會、**"賣出"** 一些產品、以及學習更多的
知識，這些都是向下激勵法或在浴缸裡洗澡型的激勵方法；並不是說這些
方法不好！相反的，這些事情都是非常必要的。

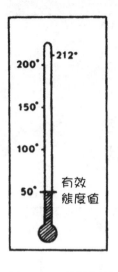

在談 **"向上激勵法"** 之前，我想先談談態度。想想看：你要向某人介紹你的生意，因為他還對此一無所知，所以他的態度值是 0 度；假設為了有效地說服別人，你的態度值應該要有 50 度；所以當你的態度值小於 50 度時，千萬別開口，因為這些尚未了解的人反而會把你的熱度拉下來。假設你邀請人們參加你的說明會，他們簽了入會表，同時也對生意非常感興趣，現在他們的態度值應該是在 65度，因為他們感覺到 "我很快就要賺大錢了"，而且在他們學到任何知識與技能之前，就已經迫不急待地想出去向別人介紹這個生意。也因為他們還沒學會如何處理懷疑者的質疑，一旦他們碰到無法回答的問題時就會馬上 "涼" 了下來，尤其是他們親戚朋友中曾有的失敗經驗，更強化了這種失落感！這些親戚朋友曾經很不幸地 "接觸" 了一些只想透過他們發財的**招募者**，而不是真正有意願及能力的**推薦人**。一個真正的推薦人是一個願意在自己成功之前先幫助別人成功的人！

當他們的熱度降到 50 度以下時，該怎麼辦呢？不要放棄，再回去約見他們，解答他們可能碰到的反對意見與問題，鼓勵他們繼續向前努力，因為這樣，他們的熱度很可能會再回到 70 度，而且在他們的熱度再次降到 50 度以下之前，這一次他們維持在 70 度的時間會久一點。

現在有個**問題**，你是否願意讓他們的熱情至少**一直保持**在 50 度？換種說法：與其讓下線的熱度像個**溜溜球**一樣地上上下下，你是否希望讓他們**穩定**在 50 度？我所知道的唯一方法就是：**向上激勵法**，因為**向上的激勵法才會持久**！

什麼是**向上激勵法**？你有個推薦人（SP），他**幫你**推薦新人加入公司。

每推薦一個人，相當於增加你的熱度 5 度，我們假設你推薦了 5 個人，那麼你的熱度也就是 25 度。這裡先指出一個大家經常會犯的錯誤：推薦了過多的人，超出了自己能夠有效幫助的範圍。雖然推薦的速度很快，但失去他們也可以是一樣快的。

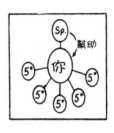

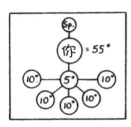

你的推薦人幫助你推薦這 5 個人，而你也會去幫助這5個人每人推薦他們 5 度的 5 個人，他們的 5 度是你的 10 度；**請注意**：如果你就算只幫你所推薦的 5 個人中的 1 個人推薦了 5 個新人，你的溫度將是 55（5＋10X5＝55）度；

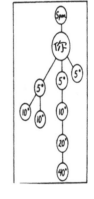

請注意：當你教你的下線如何推薦他們的下線，並重複這個過程時，結果會是怎樣呢？第三代中的每個人會是你的 20 度；第四代中的每個人是你的 40 度，總之，代數越深，溫度就越高！

發揮這個機制的威力的唯一方法就是：讓它確實地發生！所以你應該要儘快讓你的下線也得到這樣的結果，當他們親身體驗到這一切時，他們就會變得非常**興奮**！

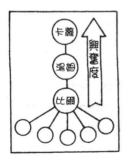

給你一個具體的例子：卡蘿推薦了湯姆，湯姆推薦了比爾，卡蘿接到電話知道比爾上個禮拜推薦了 5 個優秀的人士加入了公司，看來比爾要大拼一場了，而這會使整個**上線群**都極其**興奮**。請注意這個方向朝上的箭頭，這就是我所謂的 **"向上激勵法"**。

你需要協助你所推薦的下線去協助並支持他們的夥

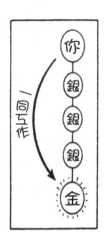

伴！讓我告訴你一個特殊的例子：當你推薦一個人加入你的公司，這時我們稱他是一艘銀船；所有新加入的人在這個階段都是銀船，他們很興奮，但還未真正下定決心碰到困難不放棄地來做這個事業。每個人至少會有一個朋友，幫助他們推薦他們的這個朋友變成銀船，也就是**幫助**你的下線以及下線的下線完成這個過程，這樣3-4 代以後你會突然發現，不知在哪一代裡，有個人變成了**金船**！這時你需要做的是：跳下去和你在這條線裡的第一個金船通力合作，幫助他成功！還可能發生的事情是：在你幫助這艘金船的時候，有些銀船也慢慢變成了金船，這就是 **"轉銀變金"** 的法門！

再講一遍：如何將銀船變成金船？努力在銀船下面發掘出金船！如果底下的人真正在做事，那麼推薦這艘金船的銀船就會說："我最好也趕快迎頭趕上！"。要知道在網路行銷中最能激勵人的方法，莫過於發現他們下面有人在**認真工作**！有一個說法是這樣的：想要讓一個人動起來，最有效的辦法就是在他們坐的椅子下放一根蠟燭，而不是在他們的腦中點一隻火把！但有一點你要注意，不要讓你的下線太對你產生依賴感！必須教會他們獨立。在某個時間點上，讓他們發現不再需要你。 而這個時間點就是：你的下線可以教會他們的下線所有這十章講座，那時他們已經熟悉了建立一個強大網路行銷組織所需要的所有知識，而你就可以再去開發更多的銀船了。

假設，你介紹了蘇，你可以這樣說："蘇，假設你是太陽，眾所周知太陽比世上任何東西都要有能量，(這是一個間接的讚美)，而你推薦的人，假設是一盆水……"（**注意**：雖然蘇是你推薦的，但不要讓她感到自己是一盆水，這可不是什麼讚美了。）

也就是說，如果在你的團隊中有個太陽，那麼在什麼條件下水會沸騰？就算你將一盆水，在一年當中最熱的一天，放在地球上最熱的沙漠裡，這一盆水也不會沸騰，因為水要在華氏212度時才會沸騰，它不會在211度或210度時沸騰，必須是至少212度才可以沸騰。請注意：如果你的態度可達212度，但可以有效率的工作的溫度只要50度就可以了。只要你有50度，就可以在任何時間、地點，對任何人輕鬆地介紹你的生意了。我只是想告訴你，太陽無法使水沸騰，你的推薦人也無法使水沸騰，任何"洗熱水澡"的激勵法都不可能！就算全世界最有名的激勵大師們一起來到你住的城市，你也參加了所有會議，但你的"水"也絕不會沸騰的，他們可以將你的水溫升高到50度以上，但沸騰卻要靠你自己！

請記住：你的推薦人會協助你。因為你認識你的推薦人並不認識的人，你的推薦人將協助你推薦你的朋友；一旦你推薦了一個人，你就是在水盆底下升起了一把火，當你推薦了5個人時，你的水盆下就已經有5把火；而這就是能讓這盆水有效被火覆蓋的最大數目了。請注意：這個水還沒沸騰，因為，如果他們都還沒有推薦任何新人的話，這裡目前就只有25度。

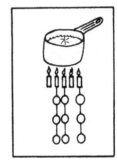

但如果任何3個人，往下走了3代；或任何2個人往下走了4代；或任何一個人，往下走了5代，那麼水就開始沸騰了！

以上的任何組合都會使你的溫度達到華氏212度！當水沸騰了，就算太陽（也就是推薦人）離開了，水還是會繼續沸騰的。當你為一個新人說明了以上的觀念，再打電話給他的時候，他會非常高興，因為他知道你是在關心他並且想協助他；你打電話給他，不是僅僅在他腦中點燃一把火，而是

想協助那些已經燃起的火苗溫度能燒得更旺。因為你是真心想協助他們的水達到沸騰的。因此，你往下走得越深，這盆水的溫度就會升得越快、越高。

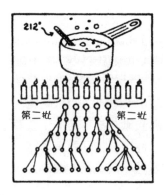

在所有網路行銷的制度中，當一個人的水盆開始沸騰時，情況非常像左邊的圖示。請記住，你已經推薦了許多人，第一個開始沸騰的，並不一定是你第一個推薦的，而是第一個認真對待這個事業的人，無論他在什麼位置。當這盆水沸騰之後，你還是應該只和 5 個人一起緊密作業，因為一個人能有效協助的人數就是 5 個人。記得嗎？水盆有效被火覆蓋的最大數目就是 5（這已經在第一章說明過了）。就算你推薦了 15 個人，但真正能有效合作的只會是 5 個人；你可能要推薦 10-20 個人才能找到 5 個認真有野心的人。 那麼其他人怎麼辦呢？我們把他們放在第二批再去協助。

當你第一批的 5 個人中有1個或多於 1 個的水盆沸騰後，在你打算再找新人前，請先回到第二批的名單裡巡視一圈，並告訴他們組織的發展現況！你可能會發現，過去當你推薦他們加入時，他們可能因為個人因素或時間的關係並沒認真看待這個事業，但現在他們準備好了；也可能他們之前只是一直在等著看這個計畫是不是適合他們？所以在找新人之前，先去第二批名單中巡視一遍吧！

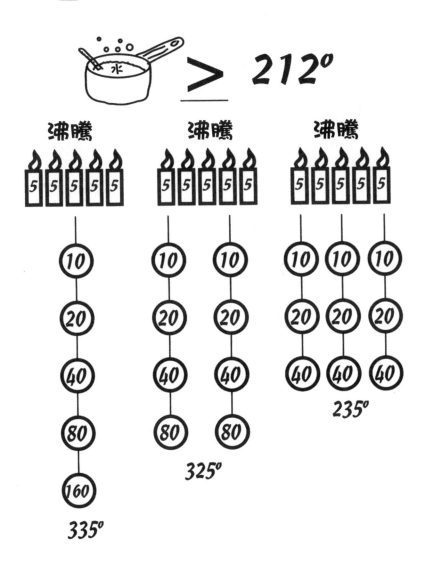

備　註

"5"一直是本書中一個神奇的數字，所以，以一個有趣的五邊形數學題作為餐巾紙講座的最後一章，真是蠻適合的！每次你將這章的內容說明給他人了解時，你自己就會**再被激勵一次**！只要你採用了本書中所介紹的方法，你就可以從這個五邊形中算出你的網路行銷組織可以增長得**多快**。

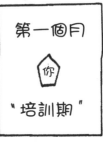

首先畫個五邊形，然後在中間寫上"**你**"字。我們允許一個月的訓練期，然後以 2 個月為發展期。（當然，你可以選擇自己希望的時間模式）

你開始做這個事業，而且在 2 個月內，你就推薦了 5 個真的願意掌握自己人生的夥伴一起合作（如圖示 "二個月" 中的五邊形的一邊寫下 "2個月-5"）。又過了 2 個月（第 4 個月的月底），你第 2 個月中的 5 個人學習做你所做的事，你的第二代就有了 25 個夥伴，而在同時，你自己又發展了另外 5 個認真有野心的人，你的五邊形看起來就如旁邊 "四個月" 的圖所示。

6 個月之後，你的第三代就有 125 人了，而他們是源自於你第一次所推薦的 5 個人所發展出來的；還有你第二次推薦的5個人所發展出來的第二代的 25 個人，再加上你第三次再推薦的 5 個人，如右圖。

在第 8 個月的月底時，你的五邊形的成長就會如左圖所示。這時將這張紙和筆遞給你的學生，讓他們繼續計算到 10 月底來完成此圖。

在五邊形中你第一次推薦的5個人的那一邊的10個月的地方畫一條線（10個月__），這數字已經大過 3,000 了（正確的數字是3,125）；右圖就是這個五邊形現在看起來的樣子。

再依照前面的方法在這個五邊形上繼續延伸到一年。這些附圖要說明的是：在不到 1 年的時間裡，只要繼續往下發展，可以創造一個什麼樣的結果！ 就算將這個五邊形中的其他 4 邊都劃掉，只留下最先推薦的 5 個人所發展出來的組織，向你的學生指出這一點：若他們光只發展了這一條線（他們沒有發展出其他我們在附圖中劃掉的線），他

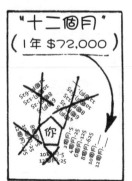

們也至少可以賺到**每個月** 6,000 美元了，當然，不同的獎金制度，結果會有所不同的。

這個練習的主要目的是為了闡釋：**往下做深度的發展**是多麼重要的步驟！你一定要**教會**你推薦的人做**跟你完全一樣的事**！

現在就去做吧！

備　　註

備　　註

第十二章

重回學校學習

當你要推薦新人加入時，**你的態度**是一個非常重要的因素。大部分新人的態度是：我應該推薦誰來做這個生意？我個人認為，更正確的態度應該是：我應該向誰提供這個可以提早退休的機會呢？如果你相信這個生意機會可以讓一個人在 1-3 年內得到財務上的自由，而且你知道你只需要花 2 分鐘就可以說明這個機會實現的可能性，那你為什麼還要將這個機會給陌生人，而不是你的朋友呢？

為了可以在 1-3 年內退休並且至少有 5 萬美元年收入的機會，這個人必須願意 "重回學校" 學習！你可以在六個月內，每週投資 5-10 小時來學習這個事業所有必備的知識！"退休" 的意思是："你可以不再上班，除非你自己想要"。如果有人跟你說：他想試看看 30 天，看這個事業可行不可行的話！不要在他身上浪費你的時間，一個人不可能在 30 天內就可以打好基礎的，這個過程至少需要半年。

我這裡指的學校，就是 **"參與活動"**。從你離開家去參加每週一次的網路行銷訓練課程，參加相關會議，喝個咖啡，到開車回家，你大概會花上 3-5 個小時。其他的時間就是聽各種正面積極具激勵性的 CD、介紹公司產品制度的 CD、與你的推薦人見面、參加 "鐵板燒聚會"、與潛在客戶見面等等，這些也都是你在網路行銷之外會做的活動，一切都不會影響你正職的工作。

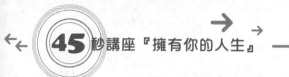

當我在世界各地演講時，我會問這個問題：有沒有人知道有哪個大學有專業的課程，讓人們在畢業 1-3 年後就可以退休，而且每年會有至少 5 萬美元的收入？從來沒有人可以給我答案，哪怕很接近的也沒有。 而這正是網路行銷令人興奮的地方，你可以用僅僅 6 個月的時間學完所有必須具備的專業知識，然後在 1-3 年內退休。

你還記得剛上大學，新學期開始，你剛剛買到新書時的心情嗎？又重又厚的教科書！你迫不及待地回家就讀了起來！你也還記得多麼期待又害怕期末考的心情嗎？有人付薪水讓你去上學嗎？既然你大學四年，沒人付薪水給你，而且你也不奢望畢業後 1-3 年就可以退休，那麼你為什麼那麼在意，在網路行銷這個事業的頭幾個月中比較少的收入呢？請記住：你現在可是在學校裡學習著呢！網路行銷大學！

有些人在加入幾週後就變得沮喪！我認為他們根本就沒有沮喪的權力，除非他們已經學了至少半年的"網路行銷課程"；試想一下：你願意讓一個醫學院剛畢業幾個禮拜的實習醫生幫你動手術嗎？你可能會對手術結果非常非常地不滿意！

你可以問問律師、牙醫師、會計師，或其他領域的專業人士他們執業多久了？他們的答案一般會從畢業以後算起，沒有人會從上大學當新鮮人的第一天算起！ 但你如果問做網路行銷的人做多久了？大部分人會從簽下申請書加入的那天開始算起。但正確的計算方法，應該從他真的已經知道如何做這個事業時開始的！

我們會失望，往往是因為我們所期望的事情並沒有發生。太多人加入網路行銷都希望馬上就能賺到大錢，但第一步也是最重要的是你需要先去"上學"，至少要用6 個月的時間學習！想想那些剛進大學的新鮮人吧：讀了6 個月，到可以畢業找工作賺錢前，還有 3 年半要走呢！

在網路行銷中想要真正成功,你必須先教會別人如何成功!你的夥伴應該先不要太關心他可以賺多少錢,而是應該先關心如何教會他的下線做這個生意,並和他們一起並肩作戰,這個過程開始的越快、越早,那麼他就有可能在網路行銷這個事業裡越快、越早成功!但這需要些時間的,在你教別人之前,你自己必須要先學習!

如果你的組織中有人不敢推薦他的朋友,很可能是因為他們自己對能在1-3 年內退休沒有信心或他們也不知道如何才能做到!

你可以應用以下簡單的說明,解釋一個人如何在 6 個月到 3 年內建構一個大組織,這只需要幾分鐘來學習,並可以在 2 分鐘之內講完!這是從餐巾紙講座第一章變化而來的。

假設你有個新人,你問他: "在我的協助下,這個月底前你可不可以從你認識的所有人當中,找到 5 個願意在 1-3 年內退休的人?"幾乎所有的人都會說: "當然,所有我認識的人都會願意的!"

不要犯了和這個新人一次同時見 5 個人的錯;和他一起去,一次見 1 個,分 5 次去。如果一次同時見 5個人,一個負面的人可以 "毀掉"其他的 4 個人。除此之外,你如果和他出去 5 次,每次見1個人,他也才有機會學5 次;這樣他也會跟你一樣,和他的每個下線出去5次,每次見1個人。這個新人會因為不斷透過幫助他的下線溝通潛在客戶而得到練習,他很快就會變成像你一樣的專家。

如果你可以在頭 30 天內推薦了 **5 個認真有野心**的夥伴,那麼你應該也可以在 3 個月內協助他們每人推薦 5 個人。當你的下線再開始協助他們的5個人去推薦自己的5個人時,你的網路組織就開始向下發展了!你在 6 個月後,應該就可以達到第 3 代了!如果這個過程要花上1年呢?當你做這

個說明時，將數字兩邊的短線（-5-）畫在5,25,125的兩邊，這短線代表是你的優惠顧客或那些為了擺脫你"糾纏"而加入的人們。你的說明應該看起來如下圖：

＿ 你 ＿

一月底： ＿5＿

三月底： ＿25＿

六月底： ＿125＿

在這時，你應該有 **155 個認真看待**這個事業的夥伴了。

如果你正確地分享這個生意機會，有一些人會認真看待，但大部分人只會成為你的優惠顧客或零售客戶。

假設，每一個下線有 10 個優惠顧客，那麼你就會有 155 X 10＝1550 個優惠顧客。因為你的每個經銷商也是產品使用者，那麼總共的產品使用者人數就會有 1550+155＝1705。順便思考一下：為什麼經銷商總是比優惠顧客購買更多的產品，有下面三個原因？

1）經銷商更瞭解整個產品線。

2）因為可以買批發價所以比較捨得使用。

3）當做樣品送人使用。 你應該鼓勵你的夥伴像你一樣多運用樣品的優勢。

155 下面畫的線代表優惠顧客，在這裡我們沒有把他們計算在內。若把他們計算在內的話就是額外的好處了。至此你的講座應該如下圖所示：

```
          ─ 你 ─      155    認真的經銷商
 一月底：─ 5 ─        x 10    朋友客戶
                    ────────
 三月底：─ 25 ─       1550    朋友客戶
                    + 155    經銷商客戶
 六月底：─ 125 ─      .....   批發客戶
                    ────────
                     1705    所有客戶
```

現在，將 1,705 乘以 30 美元，也就是每月的銷售額。大部份公司每月的訂貨金額會大於此數！我想用保守一點的數字，不想 "嚇暈" 你的潛在客戶。當你用 30 美元乘以 1,705 個客戶數時，會得到 51,150 這個金額。你要特別指出，你所做的就只是和 **5 個認真有野心**的經銷商合作罷了。有人會問：那麼用一年的時間達到那個程度是否值得？答案不言而喻！

如果你每月有 50,000 美元的銷售額，這還不包括你的優惠顧客，你應該每月可以賺到 2000－6000 美元。為什麼是 2000-6000 美元這麼大的差別呢？那是因為並不是所有的人都有 10 個優惠顧客，有的多，有的少！

到這時，你應該已經講解 10－15 分鐘了。而這就到了問一個問題的時候了：他們是否願意花些時間來學習如何 "駕駛" ？如果答案是 NO，那麼把他當成是一個零售客戶即可；如果答案是 YES，那麼就進行下一個說明。通常，當你做完這個說明後，他們就會非常願意地瞭解一下你的 "車輛" 了！

這裡有一個要真誠地問自己的問題："如果你可以在 6 個月內，在現有的收入之外，每月多賺 2000-6000 美元，那麼你是否願意為此回到學校進修 6 個月，每週花大約 5－10 個小時學習如何做呢？"

這個講座很簡單，但卻說明了一個組織如何增長的原理！這是 "建立組織" 與 "每個人做一點點銷售" 的完美結合。任何人都可以建立 10 個優惠顧客。這不需要特殊的推銷才能。在做完這個說明後，圖示應該像這樣：

```
        ― 你 ―        155  認真的經銷商
                        x 10  朋友客戶
一月底： ―5―           ────
                        1550  朋友客戶
三月底： ―25―          + 155  經銷商客戶
六月底： ―125―         ──── 批發客戶
(或一年)               ────
                        1705  所有客戶
                        x $30
                        ────────
                     $51,150  總業績
                     ════════
```

認真有野心的經銷商是指那些做出以下承諾的人：他們決定要 "參與活動"，每週至少學習 5-10 小時，歷時半年左右，這是學習這個生意的唯一途徑。

備 註

備　註

第十三章

數字解釋重點

↓

⟶ 當你的一個直接推薦的下線不再需要你的協助時，會發生什麼事呢？（參看餐巾紙講座第九章）那你就可以再去推薦一個新人再開一條新線了。**"線"的定義是指經銷商的組織往下發展了至少三代深。**

你不應該再想 "到底要找誰加入你的組織" 這個問題，你現在必須把你的思考模式改成：**我該把這個能提早退休的機會給誰呢？"** 你會很興奮地看到：你可以選擇一些有潛力的人並提供他們這個機會。當你徹底明白這點後，你會突然發現你已經變得很有**能量**了。

現在你有 6 個你直接推薦的夥伴了，注意了，5 與 6 的差別只是 1；但繼續往下走到 6X6＝36，5X5＝25，而 25 與 36 的差別是 11；再往下做一代：5X25＝125，6X36＝216，125 與 216 的差別是 91；你的說明到此看起來應該像這樣：

你	差別	你
5	1	6
25	11	36
125	91	216

所有分離制的獎金制度在五代之內，都會給經銷商不錯的獎金；而太陽線的獎金制度可以一直給到七代，將此過程一直延伸到第七代，那麼你的說明就會像這樣：

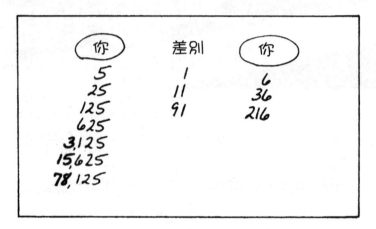

這個說明很容易學，請注意上面這一欄，從第三代開始，其最後三位數一直是 125 與 625 的交替，所以你所需記往的就是 **3，15，78**。

在這一個步驟裡，你讓經銷商自己去完成這個計算，也就是算出 216X6＝1296，然後減去 625，差別是 671，並且一直算到第七代。 如果你讓他們自己算，所產生的震撼效果會更大。問他們這樣一個問題： "你想想看到第七代的答案是什麼數字？" 讓他們猜，大部分人猜不到！到第七代時，差別將超過 20 萬！正確的數字是 201,811，你的說明會像下頁的圖表。

當然，201,811 是相當驚人的差別。一旦新人看到這些，也就明白了深度發展的重要性了，那麼他還會在第一代放那麼多下線嗎？

因為你也照顧不了那麼多人！另外，推薦太多的直接下線，就把你帶進一個叫做 "加減法" 的遊戲中；而我更想讓你參加一個叫作 "乘法" 的遊

你	差別	你
5	1	6
25	11	36
125	91	216
625	?	—
3,125	?	—
15,625	?	—
78,125	201,811	—

戲，也就是"網路行銷"的遊戲！要玩這個遊戲，你要做的就是：教會你的人往下發展三代； 當你教會他們走三代時，其實你已經往下走五代了：例如：我叫唐，我推薦了史帝夫，然後我跟史帝夫說："當你有一個新人加入時，最重要的事就是教會他們如何推薦新人，並且儘快幫助這個新人往下發展三代！"

把"餐巾紙講座第九章"拿出來說明，以便幫助他們了解！史帝夫是個好學生，當他推薦了潘，他就會幫助潘往下發展三代，請參照下頁圖例！

現在數一下深度，在你下面有五代了，你教會史帝夫並要他確定他推薦的人也是每人往下走三代。當史帝夫開始教他推薦的人往下發展時，你也就往下走得更深了，現在你應該可以了解為什麼老師在這個事業中可以做得這麼好！

剛開始建立組織時，很多業務員認為，這是個推薦、推薦、再推薦的生意！實際上，這是個**推薦—教育**、**推薦—教育**的生意。如果你不能教會一個人如何做網路行銷這個生意，那麼在這個生意中你將永遠不會成功。

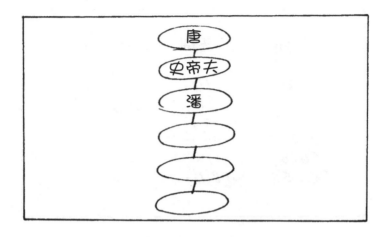

請你繼續說明 5 與 6 在第四代的差距，也就是 1296-625＝671；經過前四代的累積，整個差距是 774，你左邊的經銷商總數是 780；右邊的經銷商總數是 1554，現在你的說明將是如下所示：

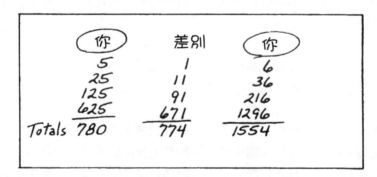

你自己算算看：將 780 或 1554 乘上 10 個朋友客戶，再將這些優惠顧客加上經銷商客戶，再將總數乘以每月消費 $30，然後再乘以 12 個月！ 請記住，我還沒有將批發客戶算進去！

現在你就能看到為什麼一個人可以在 1－3 年內退休了吧？！但你如果往

寬度地去推薦新人而不往深度走的話，是不可能做到這點的。以下的圖表是餐巾紙講座第一章的延續。

$$
\begin{array}{r}
780 \\
\times 10 \\
\hline
7800 \\
+ 780 \\
\hline
8,580 \\
\times \$30 \\
\hline
\$257,400 / 月 \\
\times \quad 12 \\
\hline
\$3,088,800 / 年
\end{array}
\qquad
\begin{array}{r}
1,554 \\
\times 10 \\
\hline
15,540 \\
+ 1,554 \\
\hline
17,094 \\
\times \$30 \\
\hline
\$512,820 / 月 \\
\times \quad 12 \\
\hline
\$6,153,840 / 年
\end{array}
$$

朋友客戶

經銷商客戶

月

備　　註

很多人是從參加一個每週舉辦的事業說明會開始他們的網路行銷生意的。因為他們是這樣開始的，所以他們認為 "每週舉辦的事業說明會" 與 "請人來開會" 就是做這個生意的標準模式了！當他們邀請了他們認為已經足夠的人數參加說明會後，他們就停止邀請了。那麼到底在開會的那天會怎樣呢？往往在會議開始時，卻沒有任何人出現，這真是夠讓人沮喪的了！

通常事業說明會是像這個樣子的：無論在家裡還是旅館裡，把椅子排成劇院型，一塊白板或黑板放在前面，一個西裝革履像個推銷員樣子的人站在前面介紹公司、產品，當然還有獎金制度，通常這個會議會持續 1 到 1個半小時。

22 個出席者中，19 個是會員，3 個是新人；而其他大部分被邀請的客人都未出席。前面的主講者其實主要說明的對象是在場的新人，也就是 22個人中的 3 個人；而來過好幾次的經銷商卻因為已經聽過整個說明會好幾遍了，而覺得這個會議無聊得要死，我將這種現象稱為 "會議疲勞症" ！

在會議舉行的當中，你盯著新人看，你也注意到當主講人談到公司、產品、獎金制度時，他們都會不斷地點頭好像很贊同！但等你問他們是否願意加入時，他們卻拒絕了你！

這簡直不可思議！既然他們對看到的、聽到的都很感興趣，為什麼還會說"NO"呢？

這個"NO"的原因很簡單，他們認為那個主講者就是"成功"的典範！他們認為：若要成功，他們必須要能自己舉辦說明會，可能不是現在，但在將來的某天，他們必須自己主講說明會。對某些人而言，這是一件比"死"還要可怕的事：站在一群人面前說話的那種恐懼！現在你了解為什麼他們會拒絕你了吧！（但你要明白，這是對你的機會說"NO"，而不是對你個人！不要讓這些 NO 影響了你的情緒。）

當我在舉辦說明會時，我證明了這點，我說："因為我的時間有限，我只能叫一個人上來，他可以在接下去的 3 分鐘內隨便說說任何他/她感興趣的事！願意的請舉手？"往往只有少於 5% 的人會舉手。當我告訴他們我只是開個玩笑而已時，你真應該看看那些人如釋重負的表情！

我認識好多人可以和朋友們一邊喝咖啡一邊談天，但同樣的這些人卻會被站在大眾面前說話的這個想法嚇得直冒冷汗，聽眾的多少並無多大的關係。甚至一些上市公司的總裁，也會在向董事會做報告時，緊張得滿頭大汗！

那麼當你在構建你的組織時，該如何克服這種恐懼呢？你可不可以每週舉辦一個令人感覺愉快的事業說明會呢？你當然可以！你一旦明白了**如何做**，那麼你的組織增長速度一下子可以快上好幾倍。

我在"一對一"地約見我的潛在客戶或是"鐵板燒聚會"時（參看餐巾紙講座第八章），我比較喜歡在餐廳不忙的時段見他們。我會請我的客人帶個錄音機，他們可以利用錄音帶來複習講座或把它當成一個工具來推薦他們的朋友加入。

我通常會要求他們在見面前,將本書讀完,這可以節省你可觀的時間。如果在你見他們之前,他們已經知道如何 "駕駛" 了,那麼你就比較容易 "協助他們選擇車輛了" (參考餐巾紙講座第三章)。

先聊聊網路行銷的好處之後,告訴他們你想花 20 分鐘時間提供他們一個關於公司、產品與獎金制度的說明。因為你宣稱只需要 20 分鐘就可以做完這個說明,那麼也就給了他們一個印象:任何人都可以學會一個 20 分鐘的說明。此外,在他們學會之前,他們需要做的就是放錄音帶給朋友們聽罷了。

如果你需要 1 個半小時來介紹你的公司、產品與獎金制度,你就要慎選對象了,你一天能做幾個 1 個半小時的說明會啊?但如果你的說明會時間縮短到 20 分鐘的話,你就可以在午休或喝咖啡的空檔中進行一個或好幾個說明會了。

我一般會這樣安排這 20 分鐘:3 分鐘介紹公司;7 分鐘介紹產品,並給他們一些樣品;大約 10 分鐘解釋獎金制度,將獎金制度分成幾個部分;通常,不要講過於複雜的部分。要知道,既然他們已經承諾每週投入 5-10 小時來學習這個生意。在第一次見面時,不要展示那些他們要在以後半年才需要學的內容。

在網路行銷中有兩個重要的專有名詞:"推薦" 與 "教育";最不重要的名詞就是 "銷售",請用 "分享" 來代替。另外三個重要的名詞是:"接觸"、"參與"、"提升"。首先,你要讓一個人 "接觸" 你的生意,然後你要讓他在半年內每週拿出 5-10 個小時來 "參與" 這個生意。

開始時,他可能想的是每個月多賺 300-500 美元,但參與活動半年後,他們可能將目標 "提升" 為每個月賺幾千美元。

如果你的潛在客戶沒帶錄音機，帶著你自己的錄音機，講完之後把錄音帶給他。在開始前先聲明：若有任何問題，請先寫下來，等講完後一併回答。因為如果在說明中回答問題的話，你就無法保證可以在 20 分鐘內結束！

而且因為要把你的說明錄給新的經銷商聽，所以你講話必須要有條理，不能每兩分鐘就被打斷，你的材料也要準備得有條理。如果你一直在翻找資料，會失去講座的連貫性。

如果你的潛在客戶對是否做這個生意表示出任何猶豫的話，簡單地對他說：在做出決定前，為什麼不參加一次我們每週的訓練課程呢？在那兒他可以看到我們是如何訓練我們的經銷商的。

這個每週訓練課程的目的在於教會你的經銷商們怎樣和朋友一邊喝咖啡，一邊進行一個 20 分鐘左右介紹公司、產品與獎金制度的說明，整個訓練課程不應該超過 1 小時。

不像每週舉辦的事業說明會，在訓練課程中，你的重點是放在經銷商身上而不是受邀來的客人身上！不知你注意到了嗎：對被邀約來的客人而言，當這個訓練課程並不是直接對他說，而是他旁聽到的，那可信度是大非常多的！當你訓練經銷商有關公司、產品與獎金制度時，你邀約來的客人也同時接受了訓練。

這樣做的結果是：你現在有 19 個經銷商，已經學會了如何和朋友分享這個事業機會；而那 3 個客人也參與進來了，因為他們看到了他們自己也可以做這個生意。而整個你住的城市裡可能只需要一個訓練師就夠了，所以你再也不用投射人家這個想法：一個人若想成功就一定要站在大眾面前講話！

讓你的經銷商們每週至少聚會一次是非常重要的。 還記得 "餐巾紙講座第八章" 嗎？你需要將 "木材" 聚在一起燃燒，才能獲得足夠的能量！

在會議設施上，不用花很多錢；很多餐廳都有不需另外付費就可使用的空間。只要跟餐廳經理說，你有一組人要每週聚會，你們會在晚上 8:00 開始，9:30 離開。你可以邀請你的客人晚上 6:30-7:00 會議開始前先來吃晚飯，餐廳不需事先準備，客人隨到隨點，服務生也不用做太多服務，餐廳和服務人員會很喜歡這樣的安排，最後，記得多給一點小費。

這種安排除了餐費與小費外，你不會再有更多的花費了！不想用餐的人，7：45 到就好了！

你會發現這種形式的聚會，對於經銷商而言是很容易邀請朋友參加的，你甚至可以替朋友付晚餐或咖啡（這些都是可以用來抵稅的），一旦他們加入了，他們就可以自己處理了！

對於還未聽過 20 分鐘說明會的朋友，你也可以請他們來這個訓練會，他們可以看到，主講人是如何教育經銷商做說明會的。當邀請他們的時候，你要強調這不是千篇一律的 "事業說明會"，而是訓練課程！當然他們也可以從訓練課程中看到機會！

備　註

在餐巾紙講座第四章中,我曾經指出過,你的生意就像一個正在蓋的高層建築物,直到建築露出地面,人們才能看到;而只有你打下穩固的基礎,建築物才能興建起來。在網路行銷中(或任何有意義的事情中),你只有打下穩固的基礎之後,才可能看到收入的到來。

對於一個非業務型的人,有時我會這樣說: "我看你對加入這個事業有些懷疑,我想讓你知道的是,如果你想加入的話,我會教會你怎麼做!同時也請你明白,如果我不認為你可以做這件事的話,我就會和你聊其他的事了!"

關於上面的陳述,你應該問你自己的問題是:**如果我不認為一個人可以做到的話,我為什麼要浪費時間和他說呢**?你也可以補充說: "一旦你加入這個生意 30 天,對這個生意有了一些瞭解之後,你就能理解:為什麼我對這個機會是如此興奮,如此有信心了!"

"我必須做很多銷售嗎?"

不!產品的 "買賣" 是在建立網路組織的過程中自然發生的,是和朋友分享的結果。你是否看過水晶、窗簾、廚具、警報器或吸塵器等的銷售展示

會？那就是大部分人認為的銷售，這也就是 95% 的非業務類型的人腦中的銷售概念。他們所定義的 "銷售" 就是打電話給陌生人，試圖賣一些他們並不想要、也用不到的東西。在網路行銷中，我們從來不需要做這些事。首先，你只和你認識的人打交道；其次，你只經銷他們需要、也想要的產品。

"這是金字塔遊戲嗎？"

不是！網路行銷與 "金字塔" 的主要區別在於 "金字塔" 是非法的；網路行銷已經存在 50 多年了，如果是非法的，那麼很早之前，它就應該被鏟除掉了！當你聽到這樣的反對意見，大多數情況是由於人們對 "失敗的恐懼"！這個人往往是害怕加入你的公司而問這樣的問題，他們想用這種辦法拒絕你，因為大部份的人不知道如何回答！

"我沒錢做這個生意！"

一個人可以用低於 $100 美元來開始做一個網路行銷生意！除非他們願意下半輩子都為他人工作，否則他們承擔不起不做這個生意所需付出的代價。**我對 "自由" 的定義是：有足夠多的錢用，有大量的時間來享受！**透過為別人工作是不可能獲得這種 "自由" 的！

"我太太／丈夫不會感興趣的！"

不要被這個問題嚇到，大多數情況下，都是一方先加入，一旦生意進行得很順利的時候，另一方就會參與的；而往往就在這個時候，他們的生意就真的開始起飛了！在網路行銷中，夫妻一起工作，那結果不是 1+1＝2，而是 1+1＝更多，這種協同作業的效果是很驚人的。

"由公司直接推薦是否有什麼好處？"

不！事實上，我認為那是一個壞處。在你與公司之間，經銷商越多越好！上線中的每一個人都可能協助並支持你；當你被公司直接推薦時，你就得靠自己了！

"我應往下發展多深才好呢？"

越深越好！許多經銷商只和自己推薦的人一起作業，我認為這是一個錯誤，記得"餐巾紙講座第九章"嗎？當你和非直接推薦的經銷商合作時，你就好像在你直接推薦的經銷商下面點了個火把！

"怎樣選擇一個網路行銷公司呢？"

當你在讀這本書時，你大概已經選擇加入了一個網路行銷公司。事實上，大部分的人都不是自己挑選第一家網路行銷公司的，往往是朋友介紹的！

"我是否可以同時做好幾家公司？"

為了正確回答這個問題，我需要將公司分為兩大類：一類是開寬線的分離制，且要求小組銷售業績，另一類是郵購型的公司，只需完成個人業績。許多人無法同時做多個開寬線的分離制的公司；但對於郵購型的公司，只要你了解清楚，並且有助於你開寬線的分離制的生意，你可以同時做；有個諺語說：如果你在火裡有好幾把烙鐵，只要有一把是熱的，其他的你就不需要了！一般來說，大部分開寬線的分離制的經銷商只要選一個最適合自己的公司就夠了！

"我就是沒有時間!"

在招募與推薦中,有四個基本要素:1.人脈 2.時間 3.精力 4.知識。如果我和一個非常忙錄的人接觸,我只會簡單地說:"我不想要你的時間,只是因為我們之間的交情,請你將網路行銷的概念介紹給你的朋友們,並請他們跟我聯絡即可。"換句話說:"我將幫助你好好利用你的人脈,配合我的時間、精力以及知識來幫你做這個生意;你可能只花個 2 分鐘,而我則需要花上 2 小時!"

"招募與推薦的區別何在?"

"招募"是指你將一些有網路行銷經驗的人帶到你的組織來;而"推薦"是指你帶一個完全沒有網路行銷經驗與知識的人進入你的生意中,並且你做出個人承諾:要教會他如何做這個生意! 你可以通過"招募"很快地發展,但你卻是透過"推薦"而獲得一個穩定的組織。

"我的推薦人不幫我,我該怎麼做?"

往上找,一直找到一個願意協助你的上線;如果你的上線不活躍了,最後退出了,不用擔心,在網路行銷組織中,你終究會找到一個真正能協助你的上線的。

"聚餐重要嗎?"

任何時候你將下線聚在一起做一些積極的事,都會創造積極的能量!

"離我家兩小時車程有一個地方,我在那裡有 5 個認識的人,我是否應該自己推薦這 5 個人加入,或是先推薦一個人,然後將其他的人放在他底下呢?"

你永遠不應該把一個人放在另一個人下面，除非雙方見過面後，形成了愉快的互相合作的關係。 我會先推薦最積極的那個人，然後舉行"鐵板燒聚會"，這樣你就可以推薦另外四個人給這個積極的人；如果他們相處得很好，那就將他們放在一起！如果他們不是很融洽，那你最好自己單獨推薦他們就好了，反正事情都是你在做！

"我們公司不允許我再加入其他公司了"

很有趣的是有些公司的態度是這樣的，他們很高興能從其他公司招募經銷商來加入；但如果別的公司也這樣做的時候，他們會搖頭說："不行，不行！"同樣的，當這些公司向你招手說："來我們這裡吧！這裡可以賺得更多的財富與自由！"而一旦你這麼做了，現在就輪到他們擁有你了！

"我對現在的公司很滿意，為什麼要加入另一家公司？"

我們希望支持我們這個行業！ 當我們想買些東西時，我們寧願加入這家公司享受批發價，而不願意以零售價來購買；你可以加入很多公司以批發價購買產品； 但很少有經銷商可以成功的經營超過一家以上的網路行銷事業。

"我被網路行銷產業拖垮了！我參加的公司剛宣佈倒閉了"。

這就像是來到了一個城市，出去吃飯時剛好吃到一頓不滿意的餐食，進而就斷定這個城市裡的每間餐廳都不好！請記住，你在網路行銷這個生意裡是不會失敗的，但你有可能退出。如果你的公司倒閉了，就去找另一家，永遠不要退出！就像在你的墓碑上有可能出現的兩種墓誌銘：A：這裡躺著的_____（填上你的名字），是一位在生命中嘗試一次，就退卻的人。 B：這裡躺著的_____，他並未成功，但卻屢敗屢戰。

"我什麼時候可以辭掉我的工作？"

很多經銷商太急了，太早辭掉工作！這是一個很大的錯誤，因為馬上一定就要賺到錢，這樣會給自己太多的壓力。當你還在打"地基"時，偏偏交房租的日子又到了，這是很難處理的狀況！你應該先兼職做一段時間，有了一定的基礎，並且當網路行銷組織的收入達到正常工作收入的兩倍時，你才應該考慮全職做。記住：你的獎金是月結的（大多數網路行銷公司），但大部份的人習慣領週薪。

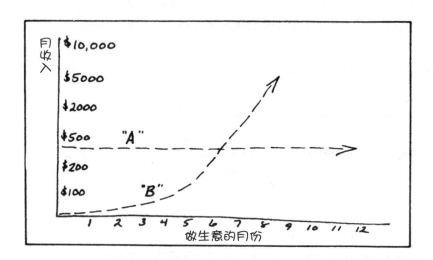

如圖所示，一個人做很多銷售並且"一直開寬線"地推薦很多人是圖中的 A；而一個只與幾個認真有野心的人合作，並努力將網路向下發展的人屬於圖中的 B，問問你的新人，他們願意做哪種人？你應該這樣告訴他們："你要知道，如果你選 B，頭幾個月是不會賺到什麼大錢的！"總之，你要讓他們做好六個月的心理準備。

備　　註

備　註

第十六章

為什麼全世界 90% 的人都應該從事網路行銷生意？

全世界 90% 的人都應該做網路行銷！當你了解了下一個講座時，你就會知道為什麼了！在大多數國家裡，大部份人的生活模式是工作到退休，並累積到足夠的錢，讓後半輩子生活得很舒適直到死亡！但我覺得靠社會保險過活不能算是舒適的生活。

當你住在一棟你挑選的房子裡（沒有貸款），駕駛一輛你挑選的汽車（沒有汽車貸款）；沒有未付的信用卡帳單，沒有未付的電話帳單，簡單的說，你沒有任何未付的帳單；當你達到那種狀態，而且不論你起床與否每個月又至少有 1 萬美元的收入；那麼你的生活將會比大多數的百萬富翁都更瀟灑。

對於大多數人來說，如果每個月要有 10,000 美元的收入，在銀行利息是 5% 的情況下，需本金 240 萬美元，請參考附錄 1，在那裡可以看到：在不同的利率條件下，為了得到一定的月收入，需要多少本金。

選一個你想要的收入，看看需要多少本金！另外，請記得：在你可以存下點錢來之前，你必須先賺到錢，然後繳所得稅、房屋貸款、汽車貸款及各種帳單，每月下來，你到底還剩多少可以儲蓄？

現在我們知道：
240 萬美元的本金給你每個月 1 萬美元的利息收入；
減一半，120 萬美元每個月給你 5000 美元。

有多少人有信心可以在他整個工作年資內存到 120 萬到 240 萬美元的本金呢？

一個人在網路行銷中透過 2-5 年的努力，可以用業餘的時間建立一個 5000-10000 美元的月收入；而這些錢與 120-240 萬所得到的利息是一模一樣的！

讓我們來看看剛開始的頭幾個月至 1 年的情況，銀行中 48,000 美元的存款可以帶給你 200 美元／月，假設利息 5%，這是個**過高**的估計，因為大部分銀行根本無法給這麼高的利息。那麼有多少人確信：他們可以在 3 個月內存到 48,000 美元？但任何人，只要應用我們的系統，都可以建立一個網路行銷的組織，並從中賺得每個月 200 美元的收入！

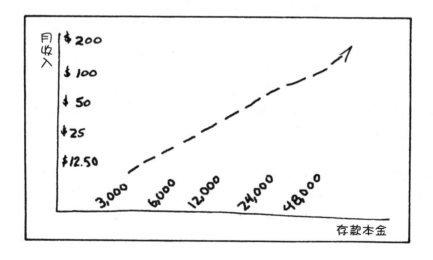

請注意：你認識多少人每個月可以存 3000-6000 美元？大部份的人會說那是不可能的！那麼你認識的人當中有多少人可以每個月推薦 1 個願意提早退休的朋友？

請記住，這只需要做一個 45 秒的說明，然後借給他這本書，讓他先讀前五章（餐巾紙講座前四章）；然後，安排他與你的推薦人見面，也可以透過三方通話做溝通，這不是很有趣、很簡單的事嗎？任何人都可以利用我們的系統每月推薦 1 個人，並教會這個新人做同樣的事！

注意：若你每個月只推薦一個人，並且教會你的人做同樣的事，那麼你的團隊會像右圖一樣地發展下去。

月份	組織中的人數
1	2
2	4
3	8
4	16
5	32
6	64
7	128
8	256
9	512
10	1,024
11	2,048
12	4,096

最差的情況：如果你一年只推薦了一個人，但你教會了他做同樣的事，這樣的話，12 年後，你就實現財務自由了！有多少人願意在 12 年內退休？ 如果每個人每個月推薦 1 個人，那 1 年內，你就可以退休了！

網路行銷不像業務工作只是個數字遊戲！一個業務員是為業務經理工作的，而網路行銷正好相反，當你推薦一個人時，你是去為他而工作；當然，你可以選擇你為誰工作！

在網路行銷中要獲得成功需要做些什麼呢？可以用兩句話來形容：

    1. 先認識一個朋友（如果你一個也沒有的話）
    2. 去見他的朋友們。

備　註

我和我太太已經環遊世界旅行 28 年了，我們是國際性的「生活風格」教練（Lifestyle Trainer），我們教導人們如何透過建構成功的網路行銷組織，來擁有夢想的生活。我們熱愛我們的工作，因為當你在網路行銷中獲得成功的時候，你會健康又快樂。事實上，在網路行銷這個生意裡，你不是為了生計而辛苦工作，而是聰明地建構一個自己喜愛的生活風格（Lifestyle）。現在是為你及你的家人們開拓一個更好人生的最佳時候了。現在是擺脫你生活中所有壓力的最佳時刻，如果你不知該做什麼或該往那裡去的話，你不只完全迷失人生的方向，你也就當然不會有任何夢想。網路行銷這個生意將協助你做這些改變。

南西就是一個例子，她花了七年在上班的工作上倍受折騰，常常忙得焦頭爛額，她和我都知道這樣下去，是不可能擁有自己想要的生活的。讓我告訴你，自從她進入網路行銷這個生意後，所有事情都有了更好的改變。這就是為什麼讓人們了解這個生意這麼重要。

讓我再給你一個例子，我在泰國遇到的一位女士，她本來在一家工廠工作，每個月賺 120 美元，在她看懂了網路行銷這個生意，而且學習所有她需要做的事情之後，她現在每個月的收入超過 2 萬美元。

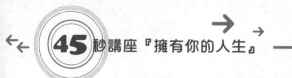
另外一個我在紐約遇到的女士，她本來在銀行上班，年收入 10 萬美元，但卻忙到沒有任何自己的時間。她很希望能結婚生小孩，但因為過於忙碌到無法完成願望，她有錢，但真的沒時間。後來她參加了一場我們的訓練課程，她找到了她想做的，而且她知道她可以在網路行銷這個生意裡賺更多的錢，所以她開始建立她的組織。現在，她結婚了，有自己的家庭而且賺更多錢了，她擁有了自己想要的生活。

在你的人生當中，不管想要什麼或想有更多的奉獻，這個生意都有機會協助你完成。要想成功，最重要的第一件事就是要有夢想，換句話說，你想要什麼？在你的生命裡你真的想獲得什麼？你可能想要更健康、更有活力，或是一個持續性的收入，讓你完全不用擔心帳單的支付，或者你想要追求心靈的平靜，或是一個愛的伴侶？你覺得享受一個假期或擁有一台跑車或一個新房子的感覺如何呢？

或許你有特別的活動或慈善項目需要你貢獻時間或捐款，又或許你想貢獻更多的時間給你的教會，或更關注環保議題，你或許為了更多不同的理想需要更多金錢和時間，不管他們是什麼，只要你想完成，你就有機會達成你的目標。豐盛的收入會發生在你身上。你今天就有機會擁有，你一定要有洞燭先機的眼光，只要你知道你正握有一個好機會，就沒有任何事情可以阻撓你。

我建議你拍下你想要的東西——一張真正的照片，放在你可以隨時隨地看到的地方，這有助於讓你夢想成真。我必須說，所有我曾經貼在冰箱上的照片，願望都已經成真。夢想是會成真的，而且速度比你想像得還快，就像變魔術。你的眼光會引導你邁向成功，而且絕對充滿驚喜，請牢記，當你完成了一個夢想，請繼續向下一個邁進，你的夢想會不斷成真，如果你真的渴望過你想過的生活。

為什麼是網路行銷？

我覺得每一個人都應該做網路行銷這個生意,讓每一個有任何一點企業家精神的人進入網路行銷這個生意,是我的夢想和目標。

人們只需要認識它並相信它,而且他們一旦了解,就會相信。已經有這麼多人在做網路行銷這門生意,並且建構了巨大的組織。這樣的人我認識很多,在網路行銷這個生意裡,你沒有老闆,你是自己的老闆,你是自雇者,所以要自律,要自我激勵。

在環遊世界這麼多年後,我發現人們想從網路行銷這個生意中得到兩件重要的事:1)他們想儘快賺到錢,以便過上更好的生活。2)他們想要一個有趣的工作機會,太多人的工作是很無趣的,更多人甚至連工作都沒有。從這裡你可以知道,在網路行銷這個生意裡,你不但可以過更好的生活,而且其中充滿樂趣。剛開始你可以兼職做,然後再逐步架構你的組織。

我認為在生命中有 6 件最重要的事:

1. 上帝
2. 家庭
3. 健康
4. 工作
5. 社交
6. 財務

這 6 件事結合起來讓你健康又快樂。事實上,你可以結合這些事並使之達到平衡。在網路行銷這個生意裡,你可以過你夢想過的生活,而且充滿樂趣。當你成為領導者時,你將學會如何聰明地思考,聰明地佈局以及變得

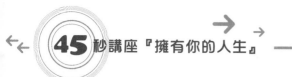

更聰明。你可以真的讓自己和其他人的生命變得不一樣,所以,現在是重新創造和建構你生命的時刻了。

現在是為你自己、你的家庭和你的朋友們重振旗鼓、展開新生活的時刻了。你可以做到的,因為工具已經準備好要協助你了。趕緊引領並展現給你的團隊看到,你可以帶領他們達到下一個目標。

如果你還沒有團隊,現在就是你建立的時候了。網路行銷是一個與人們交往而且有趣的機會,你會愛上它的。這個生意模式會改變你及所有你認識的人的生活,很多人已經在做了,現在換你開始了。很多人正在失業或生活在恐懼中,你不用過那樣的生活,你今天就有一個選擇,現在就是創造機會的時刻。

記住,你的態度和行動力比所說的話更重要,成功來自於正確的態度。到底需要怎麼樣的態度呢?對一切抱持正面的態度並對你的夢想保持熱情,這樣夢想才會成真。接著,你還需要展現一個好的領導人的形象。在網路行銷這個生意裡,你不是單打獨鬥的——你創建一個與你一起工作的團隊,而且你領導他們一起和你走向成功之路。

成為成功領導人的七個步驟:

1. 完全地投入

你推薦一個朋友,而且幫他推薦他的朋友,再一直繼續重複下去。你教育你的團隊邁向成功,你分享一個已被證實會幫助他們成功的系統,並且複製他們的努力,讓組織成長得又快速又穩固。

你就是一個最好的示範,你的團隊也會緊跟在後的。在網路行銷這個大家庭裡,你教導每個人走上成功之路。你一定要一次一個步驟,有時候就像

嬰兒學步，有時甚至會跌倒；但是你會從錯誤中學習，然後繼續向前。你是一個領袖，你從不放棄！很快地，你的團隊會開始複製而且會成長得愈來愈快速，愈來愈穩固。你將真的享有幫助他人的樂趣並且開始為自己創造財富。

我喜歡以爆米花來做網路行銷這個生意的比喻。不論你是用平底鍋或是超市買的包裝好的爆米花放進微波爐，你一定要先在鍋子下方加熱。在網路行銷這個生意裡，這熱能就像是來自於人們對他們正在做的事擁有的願景與熱情。只要鍋子或爆米花袋子開始加熱，爆米花就開始爆了。剛開始可能只爆一點點，然後很快就會爆得轟轟烈烈。最後爆米花會不斷爆裂甚至撑爆了爆米花的袋子或溢到鍋子外。

網路行銷這個行業也是一樣的，剛開始會稍慢，因為你還沒有幫助很多人，或還沒有賺到很多錢，然後，突然之間，這生意起飛了。天啊！它真的起飛了！你的生命將完全超出你的想像，請繼續堅持下去。我看過太多人在生意就要起飛前放棄了，其實有時候真的只需要再多堅持一分鐘，就會柳暗花明又一村的。這就是為什麼要徹底了解網路行銷這個生意的本質的重要原因，更重要的是，成功需要具備的工具你也準備齊全了。

2. 具備 "領袖" 的態度
你必須要有願景，而且專注於成為一個領袖。在網路行銷裡，幫助人們成功是你的頭號責任與關注。你自己要準備成長並發揮高度的效率去關心每一個人。網路行銷是一個注重人與人關係的生意，我們一次幫助一個人，改變他們的生活。最棒的是，在建構你的網路生意中的所學，都適用於你人生其他各個面向。

3. 要有組織能力
當你具備組織力時，你就能領導好自己與他人。清理你的車、衣櫃、辦公

室、抽屜、書桌、車庫、皮包、皮夾、小孩,你家還有你的後院。當你具備組織力時,你會對自己及周遭環境感覺良好。當你感覺良好時,你就能幫他人也感覺良好並擁有更好的人生。身為一個領袖要記住,你是一個模範,要以身作則。自己不知道或不能做的事你也無法教會別人。你要清楚知道自己在做什麼。

4. 要有彈性

世事多變,不是嗎?學習新事物是一件有趣的事,如果你具備一個正面的態度就很容易變得有彈性。領袖總能適應並融入人生中的任何改變。你一定要能隨時隨地對不同的情況、環境與氛圍來調整自己的能力。當然你要一直專注在你的目標上,並且保持你對未來目標與願景的一致性。如果你夠有彈性的話,有很多方法可以讓你完成目標。請記得,人生是一個旅程不是一個終點。

5. 溝通,溝通,再溝通

最好的溝通者同時也是最好的聆聽者。我發現人生中缺乏溝通,是一個非常大的問題。身為一個好的領袖,隨時與你的家庭和團隊成員保持良好的溝通是非常重要的。身為一個領袖,你要掌握他們的進度並鼓勵他們繼續努力,一次一腳步。身為一個領袖,你幫助他們了解他們想要什麼。有很多人不知道自己人生的目標,他們終日漂流著。這就是交流可以派上用場的時候。開始問問題,開始傳授,開始分享。

6. 有效管理時間

時間不等人。以下幾點是可以幫助你有效利用時間的技巧:

- 事情有處理的優先順序
- 具備同時可以處理多個任務的能力
- 要有準時或早到的習慣
- 充分授權的能力

當你的網路家族開始成長,你的時間會愈來愈有價值。時間是你最重要最寶貴的資源,善用它,讓每分鐘都很有價值。

7. 啟發他人採取行動

如果人們想擁有尚未擁有的東西,他們就需要好好計劃了。協助你的夥伴寫下任務表。這個表是他或她人生的目的與目標。我們的任務是儘可能協助愈多人透過網路行銷這個生意,來擁有更好的生活品質。

這是你的機會:好好善用它吧!

全世界最興奮、有趣的人生就是加入網路行銷這個生意。

網路行銷是我們的世界,也可以是你的世界。這個門是大開的。無論旅行至何處,我們總有團隊或朋友可以拜訪,到任何地方都有朋友真是太棒了。最棒的是,你也可以這樣。身為一個網路行銷的領袖,你的工作就是訓練你的團隊成員成功,而且真的很簡單。簡單又有趣,而且任何人都可以做。這麼簡單的原因,是因為我們已經為你準備了所有訓練與傳授的工具。你所需知道的,就是在這本書中我們與你分享的系統。讓你自己透過這個系統學習後,再教其他人這樣做。

一切都為你準備好了。如果你對其他人付出足夠的關懷,就可以讓你自己成為你人生各方面的領袖。**你的正直會讓人們跟隨**,在網路行銷這個生意裡,你可以過你夢想擁有的生活。就是現在。

備　註

The 45 Second Presentation

第十八章

讓工具替你說話

這章是集結唐‧菲拉"讓工具為你工作"的訓練內容,所做的一個特別的章節。我們認為它將帶給你更多協助,所以將它放進這個特別增訂版。今天就趕緊讓你的生意動起來吧。

超過 30 年可以四處遊山玩水的日子,讓我們完全了解,一個可複製的系統真的可以改變人們的生活。

如果你認為一個新人在 10 分鐘或更短的時間內可以得到足夠的資訊並且真的開始推薦、建構一個生意的話,這個系統就真的非常值錢。這系統簡單到任何人都可以建構自己的網路行銷生意,只要他們願意。

我的書"系統"裡有包含這部份,但我們決定在這本書放上這個章節,就像剛提過的,讓你"趕緊動起來"。

我們了解到,不管任何人種,只有 5% 的人是業務型的。因此,有 95% 的人是屬於非業務型的。非業務型的人認為推銷就是向人家介紹一些他並不真的想要或需要的東西。

但是,南西和我卻透過和一群"非業務型"的人,在網路行銷裡創造了財

富。因為以下兩個原因：
1. 非業務型的人數眾多。
2. 競爭較少。

不幸的是，90％ 在經營網路行銷組織的人，認為他們應該要多找業務型的人。業務型的人通常比較善變和投機。只要有人提供一個不錯的條件，你就失去他了。你要知道，有很多從事網路行銷的人通常只推薦業務型的人，那是因為他們不了解這個生意。根據過去的經驗，業務型的人是最沒機會進入這個生意的。人們花最多時間推薦業務型的人，成功的機會卻是最小的，真的非常諷刺。

反過來說，如果你正好是業務型的人，你就來對地方了。業務型的人可以在網路行銷組織裡做得很成功要有一個條件：就是他們已經準備好好學習網路行銷組織是如何運作的。大部份業務型的人，是不懂或不了解網路行銷這個生意的。

這個生意完全是一個複製的生意。

業務型的人一輩子都在 "被招募"。他們被業務經理 "招募" 來為他賣東西。如果你在你的生意中 "招募" 一個業務型的人，他會認為他也可以出去招募人來幫他賣東西。這個心態在這個事業裡是不會成功的，因為我們不 "招募" 人，我們做 "推薦"。注意兩者的不同點──**推薦的意思是我們為他們工作！**這個想法是你推薦了某人，然後你認識了他的朋友，你教他們如何推薦，然後他們再去為這些已經推薦進來的人工作，就像你在推薦過程中為他們工作一樣。

業務型的人擁有最大的資產，並超越非業務型的人非常多的，就是電話拜訪及認識陌生人的能力。他們擁有的最大資產，同時也是他們在網路行銷

組織裡會失敗的原因。對他們來說,到處認識新朋友並簽下這些新朋友是一件非常簡單的事……他們並沒有花足夠並有效率的時間,給任何原本可以真正開始建立這個事業的人。

我們看過業務型的人來做這個生意,他們一開始就可以推薦 100 個人。6個月後,他們只能做到第一、二代深。他們完全還沒有複製他們自己,就放棄並轉移到下一個機會。

在複製的生意裡,要建立組織的方法就是:**你必須將其做深至三代**,這樣你在這個生意裡就是在做複製了。你將手舉起,假設大姆指代表你,第一個手指代表你所推薦的人,而你將你所推薦的三個手指都複製做深三代;當你協助一位夥伴做深三代時代表你是在做複製的生意,因此也顯示你已做深四代組織了。

對非業務型的人來說,打電話拜訪或和陌生人見面是一件很不自在的事。所以他們會先推薦一個朋友,趕快協助他們和他們的朋友說明,再協助他們和他們的朋友說明。雖然這個過程會慢很多,但基礎會打得很穩固,而複製這件事就非常成功的完成了。而業務型的人卻總是在玩我們所謂的除法和減法的遊戲。想在這個生意裡做好複製,事實上可以分解成兩句簡單的句子:**你和你交的朋友的朋友做朋友;你和你交的朋友的朋友做朋友。**

剛才講過,對非業務型的人來說,照名單打電話給別人總會感到很不自在,所以,如果你照我們教你的方法做這個生意的話,你將永遠不必擔心沒有可用的名單。當你推薦了某人,這個人一定會有幾個你不認識的朋友,而你所需要做的,只是教他們所有你已經學會的知識。學習如何和你已經認識的人交談,善用工具去完成大部份的交談,當時機對了,他們就會介紹朋友給你認識。

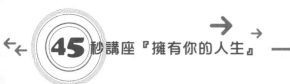

在我們從事網路行銷的這些年裡，我們接觸了很多健康食品，但是，我們從不認為自己在銷售健康食品。原因是，**不論你的產品有多棒，如果你認為你在銷售健康食品的話，你就會很辛苦了。**

世界上的人口只有15%是生病的、或是想追求健康的。這些人中又只有8%的人是真正想擁有健康的。所以，如果你認為你在銷售健康食品的話，那你只有8%的市場可以經營。看看市面上網路行銷公司和健康食品專賣店的總數，你就得要對你所經銷的產品具備非常專業的知識才可能做到你想達到的營業額。我們不需要那樣做。我們不必花時間學習關於產品的所有細節，因為事實上，我們的工作不是在銷售健康食品。

現在你可能會問，"那我們要做什麼而且應該怎麼做呢？"

如果你想很快將生意做起來，就要找"想要改變"的人。我們把它稱作**"擁有你的夢想生活"**。我們製作了一個胸章……寫著"擁有你的夢想生活"，意思是**有錢有閒做你想做的事**。世界上的人口只有 15% 是生病、或是想獲得健康的，卻有 95% 的人是想要擁有一個更好的生活的，他們在"尋找機會"。另外 5% 的人是已經擁有他們想要的一切了。他們已經有錢，有時間而且他們想要長生不老，他們會買任何你賣的東西。

幾年前，我們在丹麥的哥本哈根，正沿著海岸線開車到丹麥最靠近瑞典的城市赫爾辛堡，然後必須搭渡船橫跨到瑞典。橫跨的時間需要 20 分鐘，那天是星期五。沿著海岸線開車時，一點都不誇張，我們看到上千艘帆船在海面上。等我們上了渡船，再看向海面，卻連一艘帆船都看不到了。我們看不到任何一艘帆船是因為帆船全開進了碼頭，帆船之所以全開進了碼頭是因為所有駕帆船工作的人都下班了。

思考這個問題：既然世界上只有 15% 是生病或是想要健康的人口，我還要去碼頭跟那些人花時間談健康食品嗎？這些人想要的就是週一到週五把帆船開到海面上去工作以賺取溫飽！我們應該去跟這些人聊聊，問他們想在人生中獲得什麼，然後藉著展示我們的 "系統" 教他們如何擁有夢想的生活。

再舉一個類似意思的例子……人們喜歡去滑雪。你喜歡週末去，還是非假日不擁擠的時候去？不用說，非假日總是最棒的時間！

我們的哲理很簡單。我們找 "想要改變" 的人。無論他們會不會銷售都沒關係。事實上，就像我已經提過的，如果他們是做業務的，我們反而還有一些額外的訓練要做。

我不介意做以下的表述，因為我認為它是絕對真實的。**不在網路行銷這個行業的人可以說是 100% 不了解這個生意的！甚至 80~90% 做網路行銷的人也不了解這個生意**。我們要做的就是讓人們閱讀這本書。當他們讀了這本書，他們會了解網路行銷這個生意，當他們了解了，他們就會投入這個生意。只要他們讀了我的書，我們稱他們為 **"會開車的人"**。

系統

這個系統牽涉三個簡單的步驟。如果你問那些已經在網路行銷這個行業經營一陣子的人，一個新人能出去開始做推薦前要訓練多久的時間，他們會告訴你，"不是一兩個小時或一兩天就夠的，它甚至得花上幾星期和幾個月來訓練！" 而他們新招募進來的人經常沒有推薦出任何人就離開這個生意了。他們無法推薦到人的原因很簡單，因為沒人告訴他們「**他們能做到**」！

每個人都認為自己的車是地球上最棒的。我這裡說的車輛，是指你的公

司,產品和制度。

在網路行銷的說明會中,通常有半小時到兩小時是花在介紹車輛的,也就是公司,產品和制度。人們興奮並決定加入時,都認為這個特別的車輛就像一台藍寶基尼跑車。當然你也認同藍寶基尼是最棒的車。當他們第二天開始出門向他們認為最有能力的潛在客戶說明時,卻不斷地被拒絕,被傷害。他們被撞得粉身碎骨,燒得遍體鱗傷只因為一個簡單的原因:**他們不知道「如何開車」。**

你是否會讓你最好的朋友開著你新買的跑車去兜風,儘管你知道他不會開車?顯然你不會那麼做的。網路行銷這個生意也是一樣的。**我們絕對不要先展示我們的車輛直到他們學會開車!**

讓我再向你保證一次,只要你一提起你公司的產品,他們馬上就會認為你要賣東西給他們,或你要他們去幫你賣東西,這時候你已經失去他們了。我們不要你經歷那些。那也是為什麼我們戴 "擁有你的夢想生活" 的胸章,那可以讓人們談論對的話題:關於生活方式和人們想擁有的事物,這樣我們才算走對方向。

這裡還有一個比喻可以告訴各位。在網路行銷這個生意裡,銷售或說明產品這件事,就像要你掀起車蓋,然後把引擎拆卸下來再裝回去一樣這麼複雜。而運用這個系統,就像是直接把車鑰匙給你,你就可以將車發動後開上高速公路,去你想去的地方。意思是,你可以很輕鬆地就立刻上手做這個生意。當你在做的同時,你也從聆聽 CD 中學習所有你需要知道關於公司、產品和制度的所有一切。

你看出不同點了嗎?第一種接觸方式是你在推薦之前,要先全盤了解關於公司、產品、制度及所有複雜的一切。運用這個系統的話,你卻不需知道任何事就可以開始建立你的生意。

記住以下兩個為什麼人們會離開的理由。
1. 他們沒賺到錢。
2. 他們沒有產品的使用經驗。

如果你可以讓人們在加入的第一天或第二天就成功推薦了朋友，讓他們的努力有一個小小的收穫——不管是美金 5 元、20 元或 50 元，多少都沒關係——他們會興奮不已的。當他們開始有收入時，他們就會留在這裡久一點，也因此讓他們有時間體驗產品。

這是基本哲學。你需要做的就是**先教人們「如何開車」再給他們車。**

系統就是這樣運作的。

人與人之間的接觸

這完全是一個運用熟悉人脈的生意。當你知道這個系統的運作方法後，我們會在這章的最後，簡短地說明如何經營陌生市場。

假設你正在跟一個已經認識的朋友聊天。舉例，我和湯姆認識好多年了。我們在餐廳裡喝咖啡，吃早餐或吃晚餐。**重點**：你要在離開前才進行這個步驟。如果你在一坐下就進行的話，你會被問很多你可能還不會回答的問題。

在你離開餐廳前，跟湯姆說："湯姆，你或許可以幫我個忙，你有沒有認識喜歡旅行或渡假的朋友？"

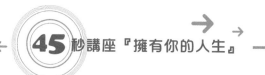

我從來沒有得到 "沒有" 這個答案。注意，我不是問湯姆他喜不喜歡渡假。我是問他有沒有認識這樣的人。他可能會說： "有" ，或是 "每個人都喜歡啊！" 之類的。

然後我說，**"湯姆，喜歡渡假要先擁有 3 個條件：那就是要有時間、要有錢、還要有健康，認同吧！如果我可以告訴你如何獲得這 3 件事的話，你有興趣了解嗎？"**

注意，我從問 "他" 有沒有認識任何人，轉到 "第一人稱"。 "如果我可以告訴**你**"。再說一次，人們不會對這件事說不的。這時候，我會給他我的生活風格系統的名片（Lifestyle Business Card），背面是 45 秒講座的內容。

電話接觸

假設我正跟湯姆講電話，不管他在歐洲還是我家隔壁，不管何人何地，你都可以運用這個系統。

當你快要掛電話前，你簡單地說， "湯姆，你有沒有想過若能擁有自己的夢想生活好不好呢？"

通常在我說完這句話後，會有一段很長的沈默。

打破沈默接著說：

"湯姆，我所謂擁有你的夢想生活的意思是，在你生命中的每一天，扣除了睡眠時間，通勤時間，工作時間及那些你必須做的事之後，大部份的人甚至已經沒有一或兩小時可以做自己喜歡做的事，更何況，還可能有多餘的錢做嗎？"

"我們發現了一個方法，一個人可以藉著學習建立一個在家工作的生意，而擁有他們夢想的生活；現在我們有一個系統可讓這件事變得非常簡單，任何人都做的到，不需要做任何銷售，最棒的部分是，不會花你太多時間。"

"若你有興趣的話，我會給你一些資訊。"

這就是你所了解的 "45 秒講座"，這個稱呼是因為它只需要花 45 秒做說明。因為一個人不做網路行銷生意的頭號藉口往往是：「我沒時間」。

去年夏天我們在俄羅斯的喀山，距莫斯科大約 600 哩外的城市。我們對 6,000 位經銷商演講。我問他們："你們之中有多少人被告訴過，說他們沒時間做這個生意？"，幾乎每一個人都舉了手，而且是舉了雙手！這是人們不做這個生意最大的藉口。運用我們的系統，絕對不會得到那樣的藉口，因為我們不要他們的時間。只需要花 30 秒讀這張卡片："若你有興趣的話，我會給你一些資訊。"

在聽過我說明 " 45 秒講座 " 後，湯姆有興趣了，這時我會借他一本《45 秒講座 擁有你的人生》這本書，然後請他先讀餐巾紙講座前四章。絕對不要叫人家一次讀完整本書。否則書會一直被擱在書架上，時間到了他們就還給你了。請他們先讀前四章，然後他們會看到簡單易懂的插圖並在很短的時間裡讀完它。如果他們是想要改變的人，他們會在第一次坐下讀時就全部讀完。若他在第一次就讀完的話，你要知道 3 件事：（1）他們想要改變（2）現在有人了解網路行銷了（3）他們現在知道怎麼開車了！

這是為什麼我們接觸的方法叫做 "擁有你的夢想生活"，非常重要的原因。我的書已經賣了超過 600 萬本。70% 第一次讀的人是沒有付費的，是人家借他的。讀過此書後，他們會了解這生意有多麼棒，因為他們根本

不需要在未來為了擴展這個生意而花很多時間。以前想要教會人們做這個生意，要花至少 3 到 4 小時的講解及無窮盡的訓練課程。我們曾經這樣做了焦頭爛額的十年。自那之後，我們變聰明，而且錄了一捲錄音帶。從錄音帶中，也寫成了這本書，現在我們只是把書借出去給人家看而已。

所以，你可以二選一。你可以先學完這整本書然後約你的朋友，花 3、4 個小時教他們書中所有內容，或你可以借這本書給他們。

幾個關於這三個步驟的重點：

第一步：運用你的生活風格的系統名片（Lifestyle Business Card）。給他們你的名片，他們可以看到印在名片背面的 45 秒講座。如果是在電話上，就唸給他們聽。

第二步：給他們這本書。如果你是在電話上，就用寄的，我建議寄快件，這讓事情多點急迫性，因為大部份的人比較不常收到急件。你也可以發電子書給他們。

我們準備進入**第三步**了。

第三步：你的交通工具。公司、產品及制度。我通常這樣問人家："你住的城市裡有沒有每個月的開銷只要 100、200 或 300 美元，而且開業成本只要 100 或 200 美元就可以開始做的生意（根據你公司的開業金額）？"每個人都知道做生意中開銷的意思。我再說："你知道嗎，開始做這個生意的成本就只需這樣，而且還可以得到與每月開銷金額一樣的價值，能讓你全家人用更健康的產品，而且你絕對會愛上這些產品的！這是我的網站。"給他們你公司的網站請他們上網看看。等他們看過後，就會回來問你問題了。

關鍵點：給他們網站時告訴他們，他們的問題將會得到回覆。不要告訴他們你會親自回答他們的問題，因為你有可能才剛開始做這個生意，不一定可以完整地回答所有問題。告訴他們你一定會妥善處理他們的問題，意思是：如果你無法回答他們的問題時，你會找你的推薦人或推薦人的推薦人透過電話來協助你回答那些問題。

就這麼簡單！

做什麼不會成功

這裡有個案例：我們搭聯合航空飛往佛羅里達的班機上，因為累積了很多飛行哩程數，所以我們升等到頭等艙。我們坐在 1A 和 1B 的位置。南西坐在 1B。她起身去洗手間後，就順便在走道上伸伸腿。空服員和航空警察正坐在逃生的專用座位上用餐。當空服員抬頭看到南西時就問她 "我可以給你些什麼嗎？" 南西說： "沒事，我很好，我只是伸伸腿而已，但我倒是可以問問……我可以給你些什麼嗎？" 空服員說， "你可以給我很多很多錢！" （這似乎是人們第一個會想到的答案～然後大家就會笑得很開心，這樣會很容易開始一段愉快的對話。）

南西說， "我可是可以的喔！" 所以她走回座位拿她生活風格的系統名片（Lifestyle Business Card），拿給她時對她說， "有時間先看看這卡片的背面，等你回到家再上網看看我的網站。" 跟直接就給公司的網站比起來，我們比較常用 OwnMyLife.net 這個網站給潛在客戶。對陌生市場來說，這類的網站非常有用。

網路是一個非常棒的系統；但是，若你想發出 50,000 封電子郵件給不認識的人，那就不會成功。他們不會因為看到這個生意機會就一湧而上簽了約，然後從此過著幸福快樂的日子。這樣不會成功的原因是因為沒有與任

何人產生聯結。透過網路簽下約的人通常沒有購買任何產品而且也待不久。

我們鼓勵你們好好跟緊這個系統，在這個美妙的產業中建構威力強大的組織。我們希望在我們以後的 "非會議" 中與你們見面。

備　註

備　　註

你的退休生活有保障嗎？

如果你是靠著銀行的利息來生活，那你要知道：為了擁有一個有品質的退休生活，需要多少錢？"擁有你的夢想生活"意味著你可以在任何時間做任何想做的事，而不需要擔心價格！以下的表格指出在不同的利息下，不同的本金可以產生的每月收入。挑選一個你想擁有的月收入，並根據現在銀行的利息，看看要多少本金？那就是你在退休前應賺夠的數目！

200 美元/月		600 美元/月		800 美元/月		1,000 美元/月	
利率	本金	利率	本金	利率	本金	利率	本金
2%	$120,000	2%	$360,000	2%	$480,000	2%	$600,000
3%	80,000	3%	240,000	3%	320,000	3%	400,000
4%	60,000	4%	180,000	4%	240,000	4%	300,000
5%	48,000	5%	144,000	5%	192,000	5%	240,000
6%	40,000	6%	120,000	6%	160,000	6%	200,000
7%	34,286	7%	102,857	7%	137,143	7%	171,429
8%	30,000	8%	90,000	8%	120,000	8%	150,000
9%	26,667	9%	80,001	9%	106,667	9%	133,334
10%	24,000	10%	72,000	10%	96,000	10%	120,000

2,000 美元/月		4,000 美元/月		5,000 美元/月		10,000 美元/月	
利率	本金	利率	本金	利率	本金	利率	本金
2%	$1,200,000	2%	$2,400,000	2%	$3,000,000	2%	$6,000,000
3%	800,000	3%	1,600,000	3%	2,000,000	3%	4,000,000
4%	600,000	4%	1,200,000	4%	1,500,000	4%	3,000,000
5%	480,000	5%	960,000	5%	1,200,000	5%	2,400,000
6%	400,000	6%	800,000	6%	1,000,000	6%	2,000,000
7%	342,857	7%	685,714	7%	857,143	7%	1,714,285
8%	300,000	8%	600,000	8%	750,000	8%	1,500,000
9%	266,667	9%	533,334	9%	666,668	9%	1,333,335
10%	240,000	10%	480,000	10%	600,000	10%	1,200,000

我們有一套系統，只要你願意每週花上幾個小時來學習，你就可以達到上表中你想要的任何數目。

我們知道：如果你能真正學會系統所教的方法並應用的話， 你就可以在 1-3 年內退休，並且每年有至少 5 萬美元的收入！你知道有多少大學生，貸款上大學畢業後就能找到個好工作，而且工作 1-3 年就可以退休，還至少每年拿到 5 萬美元的收入呢？除了網路行銷這個生意外，我個人完全不知道那裡還有類似這樣的工作。

如果你想擁有你夢想的生活，請和給你這本書的人聯繫吧！

如何快速、快樂地建立一個成功的網路行銷組織？

↓

→ 成功五步驟：

1：和一個朋友談有關 "擁有你的夢想生活" 的話題，給他你的生活風格系統的名片（Lifestyle Business Card），並請他上你的 IOwnMyLife.net 網站。這個步驟只花 5 分鐘。

2：協助他們了解網路行銷，借給他們唐‧菲拉的《45秒講座　擁有你的人生》這本書，這個步驟只花 1 分鐘。

3：要求他們做出承諾。問你的朋友：願意在半年內，每週 "重回學校" 5-10 小時，來學習如何 "擁有自己的夢想生活" 的方法與步驟嗎？（30 秒！）

如果他們說：好！到第 4 步驟。

如果他們說：不好！和他分享你經銷的產品與服務，並請他介紹朋友給你。這個步驟只花 2 分鐘。

4：分享你的車輛（公司，產品，制度），第一次的說明最多花 15 分鐘。

讓他加入你的公司，成為一名經銷商。

5：讓你的新經銷商和他的朋友重複以上的步驟。

如何聰明地工作？

三個基本要素建立成功的組織：

1：車輛（公司，產品，制度）

2：汽油（激勵性書籍，CD，演講人，推薦人，競賽，大會等）

3：如何駕駛（了解網路行銷）
- 讓網路行銷的訓練工具為你工作，節省你的時間。
- 如果你的潛在客戶開始問許多問題，告訴他們，這就是為什麼剛開始的半年內，每週需 5-10 個小時來學習的原因！但剛開始時，他並不需要完全了解所有的內容就可以開始做這個生意。

唐與南西的哲學

在你花上 1-4 小時為他做說明之前，先用 15 分鐘去發現一個人是否願意花時間學習如何 "駕駛"。

精華的想法：唐與南西的重要點子與有趣的名言

附錄3

以下向大家介紹一些我們最喜歡的句子（有些很有趣；大部份是富含智慧的），以及整合在我們生意中的核心思想。

我的建議是，你可以在 "鐵板燒" 聚會中，找幾個朋友一起閱讀並討論這些句子。這可以激發很大的興奮度，還能啟發很多你自己的想法。

唐最愛的經典好句：

- 如果你想夢想成真，先醒來再說吧。
- 交個朋友，去認識他們的朋友。
- 教會別人如何做 "這個" 〔名片〕，如何做 "那個" 〔45 秒這本書〕。
- 任何認為網路行銷就是銷售的人，除了極少的例外，沒有人可以在網路行銷這個生意中大成功的。
- 電腦是建立你的網路組織很好的資產，至少要學會收發 EMAIL。
- 非業務型人士認為推銷就是要人們買一些他們並不想、也不需要的東西。
- 這是一個推薦並教育的生意，不是招募與銷售的生意。
- 網路行銷就是建立一個消費者之家。
- 除非你推薦的人往下發展了 3 代，否則你的複製不算開始。

- 你不是招募其他人為你去銷售，而是要推薦他們加入，然後你為他們工作。
- 系統的秘密在於 "不說話"，讓工具 "說話"。
- 你說的越多，你的潛在客戶越會認為他們沒時間去做你所做的事。
- 業務員可以在網路行銷中獲得巨大的成功，但前提是他們要願意學習如何做這個生意。
- 一個人不做網路行銷生意的頭號藉口是：沒時間。
- 任何人都可以輕鬆地認識陌生人，只要有人事先介紹。
- 注意那些在旁邊偷聽的人。
- 如果你不向朋友介紹網路行銷這個生意，那是因為你不相信！或是你自己不了解這個生意！
- 當人們完全了解了這個生意時，我們會說他們知道如何 "駕駛" 了。
- 如果你想看金字塔遊戲，去埃及吧！
- 為了能複製到至少兩代深，你需要一個簡單的系統。
- 你可以在 10 分鐘內，教會一個朋友如何應用 "系統"。
- 請將 "銷售" 一詞從你的字彙中刪除。
- 在任何一個人群中：5% 的人善於推銷，95% 的人是 "非業務型" 的人。 學習和 "非業務型" 的人合作，因為這裡沒什麼競爭，而且選擇餘地也大。
- 先教會你的人如何 "駕駛"，然後再展示 "車輛" 給他們。
- 你是否會讓你最好的朋友開著你新買的跑車去兜風，儘管你知道他不會開車？
- 你可以在剛剛開始的時候，極努力地工作，但可能沒有任何收穫；但在後期，你幾乎什麼也不做，卻可以賺大錢。
- 交一個新朋友，可以打開一扇門。
- 你知道的越多，成長得會越慢。
- 只接受那些正在努力建構生意的人所提供的意見。
- 一個列了上百人的名單是業務話術，不是網路行銷的方法。

- 一個不長的名單是可以接受的。
- 教導你的人如何和已認識的人說話。
- 如果你做生意的方法正確，你就不需要去尋找陌生人。
- 你的"鑽石"就是那些你已經認識的人。
- "鐵板燒"聚會就是大家聚在一起分享想法。
- 當你擁有一套系統時，你就是在協助別人達成他們的夢想，去尋找那些想要改變的人！告訴他們，這個系統可以幫助他們完成夢想。
- 如果你說得太多，你的潛在客戶會想到兩件事：第一，他們沒有時間；第二，他們無法做你所做的事。
- "擁有你的夢想生活"的運動正在全球展開。
- "擁有你的夢想生活"這個胸章不是純金製成的，但它比黃金更貴重。
- 沒有地圖你可能會迷路。
- 真正的成功人士不用問路。
- 教一個業務員不說話，真是很難。
- 網路行銷是個乘法，不是加減法。
- 你到底想要什麼？
- 如果你先將產品或服務賣給一個非業務型的人，那麼他就會認為這是一個銷售的生意。
- 網路行銷和推銷就像油與水一樣，它們互不相融。
- 網路行銷公司和直銷公司是不一樣的。
- 讓工具為你工作吧！
- 你最好的工具就是你的上線。

南西最愛的經典好句：

- 不要辛勤的工作為了你的生活，要聰明的建立組織過你喜歡的生活。
- 錢並不代表一切，但錢卻可以讓你與兒子們和孫子們常在一起。
- 你今天所做的，將決定你的未來。

- 對女人而言，機會就是現在。
- 為什麼不是所有的人都來做網路行銷呢？
- 早點做準備，雖然辛苦一點，也比危機來臨時再想對策要好。
- 你可以有時間看著自己的孩子長大。
- 網路行銷生意的精義在於快樂、幸福與健康的生活方式。
- 時代在不斷地發展，學些新的東西總是好的。
- 只要你掌握了網路行銷的技能，你的任何夢想都可以成真。
- 你永遠也不會知道：什麼時候會遇到下一個最好的朋友與下一個最好的機會。
- 你可以擁有自己的生命，或是不擁有，這在於你自己的選擇。
- 網路行銷是個支薪的社交活動。
- 每天做些有趣的事。
- 好的生活方式是每個人都想要的，而你是可以獲得的。
- 我從未見過一個不喜歡和女人一起工作的男人，尤其是這個女人還可以幫他賺錢。
- 你自己生活的道路是你選擇的結果。
- 生活就像一本書，如果你不去旅行，相當於只看了第一頁。
- 重新拿回自己的假期。
- 一個積極的態度可以造成很大的不同。
- 如果你正確地使用工具，並且永不言退，那你就一定可以在網路行銷中成功。
- 如果時間和金錢不再是問題，那麼你的生活將會怎麼樣？
- 網路行銷機會是你能給予一個朋友的最大禮物。
- 你可以不透過第二份工作而賺到第二份收入。
- 時間是最寶貴、最珍貴的資源。
- 如果你真想要點什麼，你都可以透過網路行銷得到。
- 有些人在頭腦中旅行，有些人在心裡旅行，而有些人實際地去旅行。
- 女人做網路行銷是最好的，因為她們天生會 "培養" 人。

- 永遠不存在"太老了、不能做這件事了"，經驗是你最好的老師。
- 沒有什麼東西可以替換經驗。
- 什麼是你生命中的快樂？
- 聰明地想，聰明地做，變得聰明些。
- 你可以選擇去高興、去積極！
- 自由地享受快樂。
- 歡迎來到自由之地。
- 當你可以快樂地工作，去得到好的生活方式時，為什麼要艱難地去謀生？這裡面有著巨大的不同。
- 緊張是第一號殺手。
- 我們是在做人的生意，我們在改變人們的命運，一次一個人。
- 使生活簡單些、愉快些，這樣人們就願意跟你在一起。
- 不要太嚴肅了，輕鬆些，做些有趣的事吧。
- 你變得越有趣，那你也會變得越成功。
- 在網路行銷中，你在每小時中都會有很多快樂。
- 享受快樂是你的全職工作。
- 那些孤獨的人都應該加入網路行銷的生意。
- 做個好的聆聽者。
- 在隧道的盡頭，就是光亮了。
- 學會問問題。
- 既然我們不可能活著離開這個世界，那麼我們在活著的時候，就該儘量享受世界帶給我們的一切吧。
- 一個生命，活出風采。
- 一個生命，徹底擁有。
- 幾乎所有的人都喜歡旅行。
- 航海是對靈魂的滋潤。
- 採購是件開心的事。
- 活在預算裡面不是件好事。

南西與唐共同最愛的經典名言：

- 你是否對庸碌無為感到厭煩了？
- "我們不是在度假"，這就是我們的生活方式。
- 真正享受四海為家的感覺。
- 我們在 18 個月內，吃遍 65 間 CHARTHOUSE(查特豪斯)連鎖餐廳，獲得兩套環遊世界的機票。
- 我們是生活風格教練(Lifestyle Trainer)，我們教會人們如何擁有一個更好的生活。
- 如果沒有時間、金錢、健康，那麼你在生活中也就沒剩什麼東西了。
- "45 秒講座"這本書是給那些不會讀，不願意讀，以及沒時間閱讀的人準備的。
- "一"的威力是巨大的。
- 孩子可能是個很大的激勵因素。
- 國際旅行只需帶上隨身必需品即可。
- 錯誤可以浪費你許多時間與金錢。
- 時機是非常重要的。
- 聽比說更重要。
- 我們願意教會我們的人，讓他們明白所有的人都可以應用這個系統。 帶著這個目的去旅行，比純粹旅遊要有意思的多。
- 天天佩戴 "擁有你的夢想生活"胸章。
- 我們這麼常旅行，以至於這成了我們的生活方式。
- 我們將兔子作為我們的吉祥物，因為兔子繁殖得最快了。
- 擁有一套系統，讓你充滿信心。

『45秒講座擁有你的人生』是在這個業界很受用的一本工具書。入門引導的方式很生活化且具體,並精準點出營銷產業特有的持續性與被動式收入的願景。內行看門道,書中章節生動有趣的提及倍增市場價值與成功關鍵所在。45秒書幫助有志投入的朋友們少走很多冤枉路,迅速上軌道。功德無量!

– 周老師 系統領導人

我在2013年11月參加您長沙的培訓,我和我團隊的夥伴都非常非常喜歡45秒講座系統,回到市場後我們一直在應用這個系統,也不斷培訓市場夥伴學著應用。我們團隊一些已經對這個行業沒有信心的老直銷人,在瞭解學習了45秒書系統後又重燃雄心;同行業沒有瞭解過的,我們用45秒系統溝通後也非常認可而加盟我們。現在我們已經成立了山東省生活風格教練推廣協會,感謝您讓我們能夠學習到這麼好的系統,能夠用上這麼好的系統!

– 戚老師 系統教育總監

人之所以不夠成功 - 是因為夢想不夠大；人之所以不夠富有 - 是因為幫助的人不夠多。

我是一位護理師，每天在醫院發藥給患者，我有能力養家，但再努力也不可能幫患者賺錢；我一直在找可以透過幫助別人賺錢，自己也能獲利的互利商業模式。終於，網路行銷這個生意闖入我的生命，在懵懂的摸索中，接觸到唐教練的45秒講座這本書，淺顯易懂的比喻讓我徹底瞭解原來經營網路行銷是可以如此簡單愉快，真正見識了系統倍增的魅力！

我在網路行銷這行業將近兩年的時間，透過幫助別人賺錢，收入莫名其妙的比我在醫院上班時多很多；得到的自我成長與正能量超乎我所想像，感謝唐教練給我這個機會分享我的快樂。

-蔣老師 系統領導人

45秒這本書真的很棒！它是一本工具書，所謂『工欲善其事，必先利其器』，在第一章介紹網路行銷中，就給大家一個很正確的觀念：何謂『網路行銷』。

很多人為什麼會怕組織行銷，是因為他不懂！這個商業模式其實是很棒的！它是可以透過建立組織網絡而提早退休，獲得被動式收入。

網路行銷的經營必須要有一套系統，而不僅是一種買賣行為所產生的短暫酬勞。網路行銷是自利又利他的事業，也是幫助他人獲得非凡自由的最佳禮物！

-許老師 組織行銷高階領導人

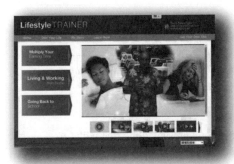

donandnancy.iownmylife.net

這是一個推薦並教育的生意，不是招募與銷售的生意。

先教會你的人如何「駕駛」，然後再為他們展示「車輛」。

『45秒講座 擁有你的人生』

此系統書→教你如何以「系統」複製，十分鐘訓練後就具備「推薦能力」。

中文版已於 2014. 4. 25發行

系統 (The System)

國家圖書館出版品預行編目（CIP）資料

45秒講座「擁有你的人生」/ Don Failla作；唐飛達譯.
-- 初版. -- 臺北市：生命之光身心靈成長中心,
2013.01
面； 公分
譯自：The 45 second presentation : that will
change your life
ISBN 978-986-88609-1-9（平裝）

1.網路行銷

496   101027959

作　　者　Don Failla
譯　　者　唐飛達
發 行 人　劉佳音
出　　版　生命之光身心靈成長中心
版　　次　2015年三月 第八刷
定　　價　臺幣300元 (含DVD)
I S B N　978-986-88609-1-9

訂購書籍　萬事興企業社
　　　　　讀者服務專線：886-938111312
　　　　　讀者服務信箱：alexis1969@gmail.com
　　　　　Line:alexis1969
　　　　　WeChat:alexis1969